D1154657

L'EUROPE
DES CATHÉDRALES

L'EUROPE DES CATHÉDRALES

1140-1280

GEORGES DUBY

PHOTOGRAPHIES

Alinari, Florence (pages 133 en bas à gauche, 193-194 en haut, 195-196 en bas), Alinari-Giraudon (page 153 en haut), Anderson, Rome (page 93 en bas), Maurice Babey, Bâle (pages 22, 23 en haut et en bas, 24-25, 27, 28, 31, 33, 34, 42, 43, 44, 45, 46, 47, 48, 53-54, 64, 65, 67, 74, 78, 80, 91, 93 en haut, 94 en bas, 108, 114-115, 116, 117 en haut et en bas, 118, 121-122, 123-124, 133-134 en haut, 134 en bas, 135 en bas à gauche, 136 à droite, 144, 145, 146, 147, 148, 149, 153, 154 en haut et en bas, 154 à droite, 155-156 en haut et en bas, 163, 164, 165, 167, 168-169, 179, 180, 183, 184, 204, 205, 206, 209, 210, 211, 213), Emil Bauer, Bamberg (page 81), Fotofast, Bologne (page 195 à gauche), Gabinetto Fotografico Nazionale, Rome (page 193 à gauche), Giraudon, Paris (pages 32 et 123 en haut), Graphic-Photo, Paris (page 208), Hans Hinz, Bâle (page 85), A. F. Kersting, Londres (pages 51 en bas, 51-52 en bas, 52, 77 en haut), Raymond Laniepce, Paris (page 75), Louis Loose, Bruxelles (page 12), Mazzitelli, Capoue (page 196 à droite en haut), Umberto Orlandini, Modène (page 117), L. Perz et M. Maćkowiak, avec l'aimable autorisation de l'Académie polonaise des Sciences, Institut d'Art, Varsovie (page 109), W. G. Rawlings, Cambridge (pages 76 en bas, 77 en bas), Jochen Remmer, Munich (page 113), Umberto Rossi, Venise (pages 87, 133 en bas à droite), Jean Roubier, Paris (page 51 en haut), Oscar Savio, Rome (pages 66, 86, 110, 111), Scala, Florence (page 84), Yan, Toulouse (pages 92 en haut et en bas, 94 en haut, 124 en haut et en bas), Zacharias, Ratisbonne (pages 82), des services photographiques des musées et bibliothèques suivants : Londres, British Museum (page 29), Paris, Bibliothèque Nationale (page 76 en haut), Bibliothèque Vaticane (page 194 à droite).

Nous devons en outre à l'obligeance de Monseigneur Vittorio Felisati la reproduction des bas-reliefs de la Porte des Mois de la cathédrale de Ferrare (pages 135-136 en haut), et de M. Hans Reinhardt et des éditions des Presses Universitaires de France la reproduction (page 123 en bas) tirée de l'ouvrage « La Cathédrale de Reims ».

Ce volume est sorti des presses des
IRL Imprimeries Réunies Lausanne s.a.

ISBN 2-605-00034-6

Imprimé en Suisse

INTRODUCTION

L'ART DE FRANCE

I
DIEU EST LUMIÈRE
1140-1190

SAINT-DENIS
L'ÉGLISE DE LA CITÉ
LA VOIE CISTERCIENNE
LES REFUS

II
L'ÂGE DE RAISON
1190-1250

LA RÉPRESSION CATHOLIQUE
LA CRÉATION
L'INCARNATION
LA RÉDEMPTION

III
L'HOMME
1250-1280

LES PÉRILS DE L'ÂGE NOUVEAU
RÉVÉLATION DE L'ITALIE
LE BONHEUR

L'ART DE FRANCE

Par définition, la cathédrale est l'église de l'évêque, donc l'église de la cité, et ce que l'art des cathédrales vint avant tout exprimer en Europe, ce fut la renaissance des villes. Celles-ci, aux XIIe et XIIIe siècles, ne cessent de croître, de s'animer, d'étendre leurs faubourgs le long des routes; elles captent la richesse; après un très long effacement, elles redeviennent, au nord des Alpes, les foyers principaux de la plus haute culture. Mais la vitalité qui les pénètre vient, presque tout entière encore, des champs environnants. A la ville, nombre de seigneurs ont à ce moment choisi de transférer leur résidence; vers la ville convergent désormais les produits de leurs domaines; dans la ville les commerçants les plus actifs sont alors des marchands de froment, de vin et de laine. Art urbain, l'art des cathédrales a donc puisé dans les campagnes voisines tout l'aliment de sa croissance, et ce furent les efforts d'innombrables pionniers, défricheurs, planteurs de ceps, façonneurs de fossés et de digues qui, dans les succès d'une immense conquête agricole, le portèrent à son accomplissement. Sur un fond de moissons nouvelles et de jeunes vignobles se sont dressées les tours de Laon et, sculptée dans la pierre, la silhouette des bœufs de labours en leur sommet les décore; aux chapiteaux de toutes les cathédrales, des pampres fleuronnent; les façades d'Amiens et de Paris figurent le cycle des saisons par l'image des travaux paysans. Juste célébration: ce rustre qui aiguise sa faux, cet autre qui taille, bêche ou provigne ont, par leur ouvrage, fait sortir de terre le monument. Il est le fruit de leur labeur. Or, nulle part l'élan de la prospérité rurale ne fut plus vif à cette époque que dans le nord-ouest de la Gaule; les campagnes les plus plantureuses du monde s'aménagèrent au cœur même de cette région, dans les plaines qui entourent Paris. Voici pourquoi l'art nouveau fut reconnu par tous les contemporains comme étant proprement l'« art de France ». Il s'épanouit dans la province qui portait alors ce nom, celle où Clovis était mort, entre Chartres et Soissons. Il fixa dans Paris le foyer de son rayonnement.

Paris, ville du roi, première cité dans l'Europe médiévale à devenir vraiment capitale — ce que Rome avait depuis longtemps cessé d'être. Capitale en vérité non point d'un empire, ni d'une chrétienté, mais d'un royaume, du Royaume. L'art urbain qui culmine à Paris dans les formes que nous appelons gothiques apparaît pour cela comme un art royal. Ses thèmes majeurs magnifient une souveraineté, celle du Christ et de la Vierge. Dans l'Europe des cathédrales en effet, la puissance des rois s'affirme, elle se dégage de l'étouffement féodal, elle s'impose. Avant d'inventer, pour Saint-Denis, les formules de la nouvelle esthétique, l'abbé Suger avait forgé au service du Capétien l'image d'un roi suzerain, sommet d'une hiérarchie pyramidale et réunissant en gerbe dans sa main tous les pouvoirs qui s'étaient jusque-là dispersés dans la féodalité. De fait, après 1200, parmi tous les Etats qui vont alors se remembrant, il en est un plus vaste, mieux charpenté que tous les autres: c'est le royaume dont le maître réside dans la cité de Paris. Dans toute la chrétienté latine, aucun monarque ne détient plus de prestige que saint Louis, plus de richesses. Et ces richesses viennent à lui, par tous les canaux des redevances seigneuriales et des obligations vassaliques, depuis les champs florissants et les vignobles.

Encore le roi Louis IX de France, que chacun de son vivant tint pour un saint, ne considérait-il nullement que sa puissance fût en premier lieu temporelle et laïque. Il se sentait, il se voulait homme d'Eglise. On voit, en lisant Joinville, comment ce grand garçon rieur en vint avec l'âge à renoncer aux joies mondaines, « à aimer Dieu de tout son cœur et à en imiter les œuvres », à vivre comme les Franciscains, ses amis, lui disaient qu'avait vécu Jésus. Cinquante ans plus tôt, les munificences des plus riches monarques, d'un Henri II d'Angleterre ou d'un Richard Cœur de Lion, se fussent en partie dissipées dans les gaspillages et dans les plaisirs chevaleresques. Alors qu'au roi de France convient l'austérité. La cérémonie du sacre a fait de lui un Christ, l'oint du

Seigneur. Elle l'a doué du pouvoir miraculeux de guérir les malades par la seule imposition de ses mains. Elle l'a institué véritablement dans l'Eglise, parmi les évêques qui sont sacrés comme lui, selon le même rituel. Les largesses du souverain s'adressent donc à Dieu et aux œuvres de liturgie. Il ne construit point des palais, mais des sanctuaires. Saint Louis, certes, comme les évêques, aime à se parer de belles étoffes, mais il ne pare pas ses demeures. C'est bien vrai qu'il s'assied sous un chêne à Vincennes ou sur un perron pour rendre la justice. Mieux que les empereurs allemands, il a recueilli l'héritage et la gloire du Charlemagne des chansons de geste et, comme le fit jadis ce dernier, il puise dans ses trésors pour construire une chapelle. Avant lui, ses aïeux, par leur générosité envers les évêques, s'étaient montrés dans le pays de France les vrais bâtisseurs des cathédrales nouvelles.

Edifié par les aumônes des rois, l'art de France est donc aussi, par essence, art liturgique. S'il a suscité des œuvres profanes, elles furent mineures, fragiles: il n'en est rien demeuré. Ses formes maîtresses ont été conçues dans le petit cercle des prélats qui entouraient le trône, un milieu restreint de très large aisance et où se situait la pointe avancée de la recherche intellectuelle. Etablis au plus haut degré de la hiérarchie féodale, ces évêques, et le corps des chanoines qui partageaient avec eux le temporel de l'église-mère, possédaient les meilleures terres, des granges immenses que les dîmes à chaque moisson remplissaient jusqu'aux combles; ils exploitaient les cités, leurs marchés et leurs foires; vers eux s'acheminait ainsi une bonne part des profits de la terre et du négoce. L'autre allait aux seigneurs laïques. La chevalerie détruisait largement ces richesses dans ce plaisir de gaspiller qui tenait au cœur tous les nobles. Mais elle avait souci de son âme et faisait de larges offrandes à Dieu, c'est-à-dire à ses serviteurs. Parce que la société de ce temps était construite pour exploiter tous les travailleurs, paysans et bourgeois, pour transférer l'essentiel de leurs gains entre les mains des hommes de guerre et des hommes d'Eglise, parce qu'elle s'appliquait à contenir les pauvres aux lisières de l'indigence, parce que les biens créés par la croissance agricole servaient au luxe de quelques heureux, parce qu'enfin les structures pyramidales de l'Etat aboutissaient au roi qui se savait prêtre et qui siégeait environné d'évêques, les cathédrales naquirent, floraison royale, de la prospérité des campagnes.

Les faveurs d'une réussite monarchique ont empreint de sérénité l'art de France et l'ont conduit peu à peu à apprivoiser le sourire: il conquiert l'expression de la joie. Mais comme, dans la personne même du roi, le sacré se mêle intimement au profane, et s'opère une jonction miraculeuse entre le temporel et l'intemporel, cette joie n'est pas seulement terrestre. L'art des cathédrales s'achève dans la célébration d'un Dieu incarné et cherche à figurer l'union paisible du Créateur et des créatures. De la sorte, il transfère dans le surnaturel et, véritablement, sacralise le plaisir de vivre du chevalier de mai galopant parmi les prés en fleurs et les moissons promises, et qui sans souci les piétine.

On aurait tort, cependant, de prêter au XIIIe siècle le visage des Vierges couronnées et des Anges au sourire. L'époque en fait fut dure, tendue et fort sauvage. L'important est ici de la restituer à son tumulte et à tout ce qui l'a déchirée. L'évêque de Laon qui conçut la nouvelle cathédrale ne pouvait oublier que naguère son prédécesseur avait péri dans une émeute, massacré par les bourgeois révoltés. Ceux de Reims, en 1233, se soulevèrent contre les taxes abusives d'un autre prélat constructeur et l'obligèrent un moment à fermer le chantier, à licencier les maçons et les tailleurs d'images. Il s'agit là d'événements fortuits. Mais ces remous et ces violences traduisent en vérité les contradictions latentes que la société féodale, bien que solidement établie et pesante, recelait alors en son sein. Trois groupes s'y affrontent: la classe des prêtres, celle des chevaliers, la masse des pauvres, cette dernière dominée, exploitée, écrasée. Mais la chevalerie se dresse aussi contre l'Eglise, contre son moralisme, contre tout ce qui pourrait venir brider la libre joie de combattre et d'aimer. La création artistique se trouve par là-même enserrée dans le jeu d'une dialectique complexe.

A vrai dire, cette société demeurait fermement assise. Entre 1140 et 1280, les mouvements de profondeur qui insensiblement en firent se modifier les structures n'eurent que de faibles répercussions dans le cercle étroit des clercs qui dirigeaient les artistes et qui surveillaient les chantiers. Ils n'ont donc guère retenti sur la création artistique elle-même. L'évolution de celle-ci dépendit alors essentiellement des progrès de la pensée religieuse. Pour comprendre l'art de ce temps, c'est de la théologie plus que de la sociologie qu'il faut par conséquent s'informer.

Pendant cette période de l'histoire d'Europe, qu'entraînent l'incessant progrès de la production et tous les succès du négoce, les tensions s'accusent dans les âmes entre la passion des richesses, l'impatience à s'en emparer, le goût d'en jouir, et d'autre part une aspiration profonde à la pauvreté, proposée à tout chrétien comme l'avenue maîtresse de son salut. Dans cette époque où se construisent les royaumes, l'interrogation devient plus anxieuse: qui, du spirituel et du temporel? — qui, du pape ou de l'empereur? — qui, de l'Eglise ou du roi, doit détenir le pouvoir souverain et prendre la direction du monde? Et toutes ces oppositions inclinent à se fondre au sein d'un dernier affrontement, celui-ci fondamental, dans le conflit entre la croyance orthodoxe et les déviations de l'hérésie. La préoccupation première de chaque évêque dans sa cathédrale, celle bientôt des princes, fut alors de combattre les faux prophètes, de vaincre leurs arguments, de dépister les tenants de leurs sectes. Elle fut plus encore de placer la foi chrétienne hors des incertitudes et des brumes de la pensée prélogique, de construire un édifice doctrinal ample, divers et fermement ordonné, d'en montrer au peuple les séductions convaincantes, de faire du même coup ressortir les faiblesses de l'enseignement hérétique, et de ramener ainsi dans le droit chemin tous les croyants dévoyés. Les bouillonnements de l'hérésie manifestent l'élan de croissance qui anime alors toute la culture d'Occident — d'où leur puissance. Au XIIe et au XIIIe siècle, la présence hérétique, la menace hérétique, commandent tous les développements d'un art qui s'affirme d'abord comme une prédication de vérité.

Ce temps n'a pas connu le portrait. Aussi faut-il quelque effort pour discerner sous le sourire de l'Ange les ricanements du soudard, les joues creuses du pauvre de Dieu, les mâchoires serrées de l'inquisiteur. La statuaire gothique propose du visage de l'homme une image idéale et rachetée. Mais l'homme de ce temps vivait dans la brutalité, la peine et les massacres. Voici ce qu'il ne faut pas oublier. Ajoutons que l'art d'Europe est fort loin de se résoudre tout entier dans la plénitude du gothique. Les diversités d'un monde encore très cloisonné, le prestige tout neuf de l'esthétique romane, des habitudes mentales qui se laissaient malaisément infléchir, ont dressé des résistances tenaces au succès de formules qui furent d'abord françaises et royales. Celles-ci peinèrent à s'imposer dans certaines provinces; des marges, des franges, toujours leur échappèrent.

Qui s'applique à saisir les vrais rapports entre la naissance de l'œuvre d'art, la structure des relations sociales et les mouvements de la pensée, doit demeurer constamment attentif aux complexités de cette géographie de la haute culture. Il doit surtout considérer que les horizons de la civilisation européenne se sont profondément modifiés entre 1140 et 1280. Non point sous l'effet d'une lente germination, ni d'une éclosion paisible, mais bien par secousses et par brusques saccades. La chronologie prend ici valeur essentielle. Cet essai, dans son développement, entend en marquer les étapes, aussi bien que la permanence des forces diverses qui, pendant toute cette période, demeurèrent constamment affrontées.

I

DIEU EST LUMIÈRE

1140-1190

FACE SUPÉRIEURE DE L'AUTEL PORTATIF DE STAVELOT: SCÈNES DE LA VIE DU CHRIST - VERS 1175.
BRUXELLES, MUSÉES ROYAUX D'ART ET D'HISTOIRE.

SAINT-DENIS

En 1140, la plus royale des églises n'était pas une cathédrale, mais un monastère: Saint-Denis-en-France. Depuis Dagobert, les successeurs de Clovis avaient choisi ce sanctuaire pour nécropole, et les trois races qui successivement dirigèrent le royaume des Francs n'avaient cessé d'y ensevelir leurs morts; Charles Martel, Pépin le Bref, Charles le Chauve y reposaient dans le caveau royal près de Hugues Capet, de ses ancêtres les ducs de France, et de ses descendants, les rois. Devant cette lignée de sépulcres, on pouvait considérer Aix-la-Chapelle comme un intermède, un rejet, une floraison adventice. C'était bien dans la crypte de Saint-Denis que s'enfonçaient les racines du tronc souverain, du royaume que Clovis, sur les débris de la puissance romaine, avait fondé avec l'aide de Dieu, par son baptême. Après le sacre, les rois de France venaient déposer ici, près des tombes de leurs prédécesseurs, la couronne et les emblèmes de leur pouvoir. Ils allaient y prendre l'oriflamme au départ des expéditions militaires. On priait ici pour leur victoire, on écrivait ici le récit de leurs exploits. Ce fut autour de la « maître abbaye » que se rassemblèrent les légendes, la matière des chansons épiques qui, dans les assemblées de chevaliers, célébraient, autour de Charlemagne héroïsé, « douce France », ses souverains et l'éclat de leurs conquêtes. Comblé des bienfaits royaux, le monastère ruisselait d'opulence. Il régnait sur le grand vignoble parisien, sur cette foire du Lendit où les bateliers de Seine venaient charger les fûts de vin nouveau pour les conduire vers l'Angleterre ou vers la Flandre. Au seuil du XIIe siècle, sa richesse croissait sans cesse avec l'essor des cultures et du commerce, et son prestige avec celui des rois de Paris. Vers lui tout naturellement s'opérait la translation qui ramenait peu à peu les forces dominantes de la chrétienté, depuis l'Empire que les Ottons avaient jadis rénové en Germanie, vers le royaume des fleurs de lys. Revanche de la Neustrie sur l'hégémonie teutonique. Annexée par la jeune puissance capétienne, la tradition carolingienne retournait ici, près du tombeau de Dagobert et de Charles le Chauve, à ses origines, au vrai pays des Francs: la plaine de France, et non plus la Franconie. L'art nouveau qui naît à Saint-Denis manifeste avant tout ce reflux.

Il est né de la volonté d'un homme, Suger. Ce moine de petite naissance, mais ami d'enfance du roi, fut haussé par cette amitié même au sommet de l'autorité politique. Abbé, il ressentait au plus profond de lui-même les valeurs symboliques du monastère dont il avait pris la conduite. Il voyait sa charge comme un honneur, et le plus haut — par conséquent vouée au faste. Bénédictin, sa conception de la vocation monastique n'était point en effet de pauvreté ni de refus absolu du monde: Suger se tenait dans la voie clunisienne. Etablie au faîte des hiérarchies terrestres, l'abbaye pour lui, comme pour saint Hugues de Cluny, devait faire rayonner les splendeurs pour la plus grande gloire de Dieu. « Que chacun suive sa propre opinion. Pour moi je déclare que ce qui m'a paru surtout juste, c'est que tout ce qu'il y a de plus précieux doit servir par-dessus tout à la célébration de la Sainte Eucharistie. Si les coupes d'or, si les fioles d'or, et si les petits mortiers d'or servaient selon la parole de Dieu et l'ordre du Prophète à recueillir le sang des boucs, des veaux et d'une génisse rouge, combien davantage, pour recevoir le sang de Jésus-Christ, doit-on disposer les vases d'or, les pierres précieuses et tout ce que l'on tient pour précieux dans la création. Ceux qui nous critiquent objectent qu'en cette célébration doivent suffire une âme sainte, un esprit pur, une intention fidèle, et certes, nous l'admettons, c'est cela vraiment qui importe avant tout. Mais nous affirmons aussi que l'on doit servir par les ornements extérieurs des vases sacrés, et plus qu'en toute autre chose dans le service du saint sacrifice, en toute pureté intérieure, en toute noblesse extérieure. » Soucieux de cette noblesse extérieure, Suger consacra donc les richesses de son monastère à composer un cadre splendide pour le déroulement des liturgies. Entre 1135 et 1144, contre les tenants de la pauvreté totale qui l'attaquaient, il entreprit de reconstruire l'église abbatiale et de l'orner, travaillant ainsi pour l'honneur de Dieu, pour celui de saint Denis, mais aussi pour l'honneur des rois de France, les morts ses hôtes, le vivant son ami et son bienfaiteur.

Fier de son œuvre, il la décrivit dans les deux traités *De son administration* et *De la consécration*, ce qui permet de voir clair dans ses desseins, et de saisir que le monument royal fut conçu par lui comme une synthèse de toutes les innovations esthétiques qu'il avait naguère admirées en visitant les nouvelles constructions monastiques pendant ses voyages dans le sud de la Gaule. Encore voulut-il élever le monastère royal au-dessus de tous les autres, de même que, pour lui, le souverain ne devait s'incliner devant aucun seigneur de son royaume. Enfin, il appartenait à Suger d'innover. Gardien du sépulcre de Charles le Chauve, soucieux de situer la puissance capétienne dans le prolongement de celle des empereurs, il choisit d'associer aux formules aquitaines et bourguignonnes la tradition carolingienne, véritablement franque. Il attira donc en Neustrie, pour les joindre à l'art roman qui s'était construit contre elle, l'esthétique austrasienne, celle des arts précieux d'Aix-la-Chapelle et de la Meuse. Suger surtout conçut le monument comme une œuvre théologique et, tout naturellement, cette théologie se fonda sur les écrits du patron de l'abbaye, saint Denis, c'est-à-dire, croyait-on, Denys l'Aréopagite.

Les restes des rois de France reposaient en effet près d'un premier tombeau, celui du martyr chrétien du pays de France, Dionysius. Suger, tous ses moines, tous les abbés qui l'avaient précédé, identifiaient ce héros de l'évangélisation au disciple de saint Paul, Dionysos l'Aréopagite, dont la tradition faisait aussi l'auteur de la plus imposante construction mystique de la pensée chrétienne. De cette œuvre, écrite en grec par un inconnu dans l'Orient du très haut moyen âge, on conservait le texte dans le monastère de France. En 758, le pape en avait offert un manuscrit au roi des Francs Pépin le Bref, qui avait été élevé à Saint-Denis; puis en 807, l'empereur d'Occident Louis le Pieux avait reçu un second exemplaire, présent de Michel le Bègue, empereur de Constantinople. Il revint à un abbé de Saint-Denis, Hilduin, d'en donner une première traduction latine, mauvaise. Depuis lors, on révérait, on méditait à Saint-Denis la *Theologia mystica*, et c'est sur cet écrit que s'établit toute la pensée de Suger.

Dante a placé dans les cimes de son *Paradis* ce

> Denys (qui) avec un tel désir
> S'appliqua à contempler ces ordres,
> Qu'il les nomma et les distribua comme j'ai dit.
> (*Paradis* XXVIII, 130/132)

En effet, le traité attribué à Denys offre de l'univers l'image d'un édifice où se superposent les ordres hiérarchisés de la création: *De la hiérarchie céleste*, — *De la hiérarchie ecclésiastique* (et Suger sans doute s'en inspira-t-il directement lorsqu'il conçut, sous forme hiérarchique, le pouvoir du roi féodal). Au cœur de l'œuvre, cette idée: Dieu est lumière. A cette lumière initiale, incréée et créatrice, participe chaque créature. Chaque créature reçoit et transmet l'illumination divine selon sa capacité, c'est-à-dire selon l'ordre où elle est établie dans l'échelle des êtres, selon le niveau où la pensée de Dieu l'a hiérarchiquement située. Issu d'une irradiation, l'univers est un jaillissement lumineux qui descend en cascades, et la lumière émanant de l'Etre premier installe à sa place immuable chacun des êtres créés. Mais elle les unit tous. Lien d'amour, elle baigne tout le monde, visible et invisible, elle l'instaure dans la cohésion et, parce que tout objet réfléchit plus ou moins la lumière, cette irradiation, par une chaîne continue de reflets, suscite depuis les profondeurs de l'ombre un mouvement inverse, mouvement de réflexion, vers le foyer de son rayonnement. De la sorte, l'acte lumineux de la création institue de lui-même une remontée progressive de degré en degré vers l'Etre invisible et ineffable dont tout procède. Tout revient à Lui par le moyen des choses visibles qui, aux niveaux successifs de la hiérarchie, réfléchissent de mieux en mieux Sa lumière. Ainsi le créé conduit-il a l'incréé par une échelle d'analogies et de concordances. Elucider celles-ci l'une après l'autre, c'est donc avancer dans la connaissance de Dieu. Lumière absolue, Dieu est plus ou moins voilé dans chaque créature, selon qu'elle est plus ou moins réfractaire à Son illumination; mais chaque créature Le dévoile à sa mesure, puisqu'elle libère, pour qui veut l'observer avec amour, la part de lumière qu'elle recèle. Cette conception contient la clé de l'art nouveau, de l'art de France, dont l'abbatiale de Suger institue le modèle exemplaire. Art de clartés et d'irradiation processive.

« L'esprit aveugle surgit vers la vérité par ce qui est matériel et, voyant la lumière, il ressuscite de sa submersion antérieure. »

Ces vers, Suger les fit graver à la porte même du nouvel édifice, en exergue. Ils ont charge d'initiation, ils révèlent la fonction propre du monument.

* * *

Les travaux commencèrent au porche. Cette église antérieure, qu'inspirait la tradition carolingienne, apparaît encore massive, compacte, obscure. C'est qu'elle constitue seulement le premier degré, l'étape initiale de la marche vers la lumière. C'est aussi qu'elle veut offrir, à l'entrée du monastère royal, une image d'autorité, de souveraineté, donc une silhouette militaire puisque tout pouvoir alors s'appuyait sur les armes et puisque le roi par essence était avant tout chef de guerre: ce qu'ont charge d'exprimer les deux tours prises dans la façade et crénelées. Cependant, ces tours s'ajourent d'une série d'arcatures; la lumière du couchant pénètre à l'intérieur de l'édifice par le creux des trois portails; au-dessus d'eux rayonne la première rose qui fut ouverte à l'occident d'une église, éclairant les trois chapelles hautes, dédiées aux hiérarchies célestes, à la Vierge, à saint Michel et aux anges. En son seuil, la théologie de Suger dispose ainsi l'archétype de ce que devait être ensuite la façade des cathédrales.

Toutefois ce fut au chœur de la nouvelle église que s'opéra la véritable mutation esthétique. Suger voulut installer à l'autre extrémité de l'édifice, au terme de la progression liturgique orientée vers le soleil levant, le foyer de l'irradiation, le lieu des plus éblouissantes approches de Dieu. En ce point, il décida donc de supprimer les murailles. Il convia les maîtres d'œuvre à exploiter dans ce but toutes les possibilités architectoniques de ce qui n'avait été jusqu'alors qu'un artifice de maçonnerie, la croisée d'ogives, et l'on vit ainsi se dresser, entre 1140 et 1144, « une séquence de chapelles disposées en demi-cercle, en vertu de quoi toute l'église resplendit d'une merveilleuse lumière ininterrompue, répandue des plus lumineuses fenêtres ». Au début du XIIe siècle il était nécessaire de disposer dans les abbatiales de multiples chapelles. Les moines maintenant accédaient presque tous au sacerdoce; ils devaient chaque jour pouvoir célébrer le service divin; il leur fallait donc de nombreux autels. Des modèles romans fournirent le plan d'un déambulatoire aux niches rayonnantes. Suger cependant mit tout son soin à rendre celles-ci poreuses au jour; en modifiant la structure des voûtes, il put ouvrir des baies, substituer des piliers aux murs de séparation, donner ainsi forme à son rêve: réduire à l'unité la cérémonie liturgique par le moyen de la cohésion lumineuse. Que tous les officiants fussent rassemblés, ordonnés à l'unisson par le demi-cercle lui-même, et plus encore par une illumination unifiante. Qu'en celle-ci s'accordent leurs gestes simultanés et, comme les voix confondues dans la plénitude du chant choral, que, baignés par la même lumière, les rites parallèles de la liturgie se résolvent en une célébration unanime. Symphonie. Le jour de la consécration solennelle du chœur, la messe fut de la sorte offerte « dans une telle fête, de manière si proche et si joyeuse, que leur chant délicieux, par sa concordance et son unité harmonieuse, composait une sorte de symphonie plus angélique qu'humaine ».

Denys l'Aréopagite en effet célèbre avant toute chose l'unité de l'univers. Aussi convenait-il encore que, depuis le chœur jusqu'à la porte, l'irruption lumineuse pût se diffuser sans obstacle dans tout l'espace intérieur de l'église et que l'édifice entier devînt ainsi symbole de la création mystique. Suger fit abattre le jubé « qui, aussi sombre qu'un mur, interrompait le vaisseau afin que la beauté et la munificence de l'église ne fussent point obscurcies par une telle barrière ». Toute cloison tombe, tout écran à la procession de l'irradiation divine et à son retour. « Une fois que la nouvelle partie postérieure fut jointe aux antérieures, l'église resplendit avec son milieu devenu lumineux, car brille ce qui est brillamment accouplé à ce qui brille, et rayonne le noble édifice que pénètre la lumière nouvelle. »

Suger avait entrepris son œuvre par des adjonctions aux deux extrémités de l'abbatiale. Il n'eut pas le loisir de bâtir entre le porche et le chœur la nef qui les eût réunis; du moins en proposait-il la future ordonnance. Appliquant les nouvelles techniques de la voûte aux traditions de l'architecture neustrienne, sans doute l'eût-il conçue comme un espace sans discontinuité, préfigure de l'unité interne qui, cent ans plus tard, régna dans la cathédrale de Bourges.

La poétique de la lumière que porte en elle la réflexion théologique de Suger, et l'esthétique qu'elle suscite, ne se résument pas cependant dans la seule architecture. Il existait en effet, dans l'univers mental des religieux du XIIe siècle, certains objets privilégiés où l'on pouvait croire que se condensait l'irradiation divine, et qui paraissaient susceptibles de soutenir l'élan de la méditation mystique. Comme les structures profondes du monument, ils invitaient l'âme à progresser du créé à l'incréé, du matériel à l'ineffable. Un tel pouvoir appartenait d'abord aux pierres précieuses, auxquelles les penseurs sacrés attribuaient une valeur singulière. Ils voyaient en chacune d'elles le symbole des diverses vertus qui aident le cœur de l'homme à s'élever jusqu'à la splendeur divine. Méditant sur certaines pages de l'Ecriture, ils les imaginaient érigeant dans la splendeur, et dans une perfection radieuse, la Jérusalem céleste, la cité qui doit s'ouvrir aux élus après la consommation des siècles. Lorsque le roi Louis VII était venu poser la première pierre du chœur de Saint-Denis, on lui avait remis quelques gemmes pour qu'il les disposât près d'elle, tandis que le clergé chantait le psaume: « Tes murs sont des pierres précieuses. » Dans l'intérieur même du sanctuaire, il semblait donc nécessaire d'installer des bijoux: leur scintillement devait faire écho aux déversements de lumière qui, par les baies, convergeaient vers le chœur, lieu majeur de l'office divin. L'amour des pierreries, de l'émail, du cristal, de toutes les matières translucides, qui toujours avaient fasciné les chefs barbares, trouvait en effet autour de l'autel sa justification, à la fois liturgique et mystique. Car, dit Suger, « lorsque, tout pénétré par l'enchantement de la beauté de la maison de Dieu, le charme des gemmes multicolores m'a conduit à réfléchir, transposant ce qui est matériel en ce qui est immatériel, sur la diversité des vertus sacrées, alors il me semble que je me vois moi-même résider comme en réalité en quelque étrange région de l'univers, qui n'existe antérieurement ni dans le limon de la terre ni dans la pureté du ciel, et que, par la grâce de Dieu, je puis être transporté d'ici-bas dans le monde plus élevé de manière anagogique ».

Lorsqu'il exaltait ainsi les valeurs médiatrices de l'orfèvrerie sacrée, l'abbé de Saint-Denis épousait les traditions spirituelles des hauts seigneurs du monachisme. Toutefois la théologie dionysienne de la lumière assignait au trésor, dans l'église de Suger, une fonction mieux définie et plus centrale. Ce fut à la croisée du transept, dans le « milieu devenu lumineux » de l'abbatiale, que pour être « présentés au regard des visiteurs, les reliquaires des saints, ornés d'or et de pierres précieuses », vinrent s'établir. De cette manière, la basilique cessa d'être ce qu'avaient été jusqu'alors les églises monastiques romanes, la simple superstructure d'un hypogée, d'un *martyrium*, d'un espace clos, souterrain, obscur, où les pèlerins descendaient en file indienne, s'enfonçant terrifiés dans une pénombre chtonienne pour entrevoir enfin les corps saints parmi la lumière vacillante des cierges. A Saint-Denis, la chambre à reliques émerge de la nuit des grottes sacrées. Exhumée des ténèbres magiques où l'enfermait une religion de prosternation, elle vient se confondre avec l'église même, ouverte, radieuse, et ses châsses s'installent en pleine clarté. Enrobée de gemmes, la dépouille de saint Denis trône au centre rayonnant d'une lumière ininterrompue, la propre lumière de sa théologie. Elle est elle-même reflet, miroir de Dieu. Elle concourt à l'illumination des fidèles.

Le maître-autel était orné d'un parement d'or, don de l'empereur Charles le Chauve. Suger le compléta par trois panneaux, voulant que « tout entier il parût doré sur tous ses côtés », et il disposa alentour toutes les pièces de son trésor. « Nous avons adapté au service de l'autel un vase de porphyre admirablement fait de la main du sculpteur et du polisseur, le transformant d'amphore qu'il était auparavant en la forme d'un aigle avec de l'or et de l'argent. Nous avons acquis un précieux calice fait d'une seule sardoine massive, ainsi qu'un autre vase de même matière, mais non de même forme, ressemblant à une amphore, et encore un autre vase qui semble comme de béryl ou de cristal. » Passion pour la matière rare, pour ses reflets, ses profondeurs lumineuses. Une équipe d'orfèvres s'appliqua à donner valeur fonctionnelle à ces objets de collection. Aidé « par un remarquable miracle que le Seigneur nous a envoyé à ce sujet », l'abbé couronna son œuvre en élevant, au cœur de l'église, visible de toutes ses parties, une croix de sept mètres de haut. « J'étais arrêté par le manque de pierres précieuses et je n'avais pas le moyen de m'en procurer assez car leur rareté les rendait très chères. Voici que de trois abbayes de deux ordres, de Cîteaux, d'une autre abbaye du même ordre et de Fontevrault » (dans ces monastères-ci s'établissait alors une interprétation ascétique de la règle bénédictine; on inclinait à plus de pauvreté, et les moines renonçaient à parer leur sanctuaire) « des religieux entrèrent en notre petite chambre attenante à l'église et nous proposèrent d'acheter abondance de gemmes, améthystes, saphirs, rubis, émeraudes, topazes, comme je n'avais pas pu espérer en réunir en dix ans. Ils les avaient reçus en aumône du comte Thibaud. Libéré du souci de chercher des pierres précieuses, je rendis grâce à Dieu. Nous leur en donnâmes quatre cents livres alors qu'elles valaient beaucoup plus, et non seulement celles-ci mais quantité d'autres gemmes et de perles nous servirent à établir en somptuosité un ornement aussi saint. Je me souviens avoir employé quelque quatre-vingt marcs d'or pur raffiné. Nous avons pu faire achever par plusieurs orfèvres de Lorraine, tantôt cinq, tantôt sept, le piédestal orné des quatre évangélistes et la colonne sur laquelle repose l'image sainte, émaillée par un travail très délicat, et l'histoire du Sauveur avec toutes les figures allégoriques de l'Ancienne Loi dessinées, et la mort du Seigneur sur le chapiteau supérieur. »

Cette grande croix s'élevait à proximité du parement d'autel, qui était carolingien. Le goût de Suger le portait à éviter toute disparité de style entre l'œuvre ancienne et ses compléments. Voici pourquoi il fit venir à Saint-Denis des artistes du pays mosan, de la province carolingienne où vivait encore le vieil art d'Empire. Mais, ce faisant, il attirait vers le centre de la Neustrie toute la tradition esthétique de l'Austrasie. Au moment précis où Saint-Denis capturait pour l'honneur des Capétiens la légende de Charlemagne, Suger associait cet héritage artistique à sa création royale et, par là, il amplifiait singulièrement la mutation culturelle dont il était l'initiateur. Car l'art des orfèvres lorrains, impérial, « renaissant », humaniste, nourri de références antiques, se montrait fort différent de l'esthétique des monastères clunisiens. Il refusait tout son univers de signes abstraits et de rêves, ses monstres et ses inclinations au délire fantastique. Il exaltait les valeurs plastiques et situait au centre du décor l'homme dans sa vérité.

Lorsqu'il choisit de restaurer près des tombeaux de Pépin le Bref et de Charles Martel les formes carolingiennes de la célébration monarchique, Suger, qui venait de bouleverser les conceptions architecturales en en faisant l'illustration d'une théologie de la lumière, s'associait donc à la seconde « renaissance », dont les pays de la Loire et de la Seine étaient alors le foyer, à ce retour aux modèles classiques que prônaient en ce temps même, dans les lettres latines, tous les admirateurs d'Ovide, de Stace et de Virgile, un Hildebert de Lavardin ou un Jean de Salisbury. Annexant Charlemagne à son éloge des gloires capétiennes, il s'appropriait aussi les Evangiles Ada, les portes de Hildesheim, les ivoires de Reims. Il imposait à l'art de France ses autres traits spécifiques: antiromans.

Et d'abord dans les vitraux qu'il commanda pour les « plus lumineuses fenêtres ». Ne sont-ils pas une transposition de l'émaillerie mosane, ne procèdent-ils pas d'expériences lotharingiennes ou rhénanes? Ces artifices, en tout cas, disposés pour ennoblir la lumière de Dieu, pour lui conférer les irisations de l'améthyste ou du rubis, pour lui prêter les couleurs des vertus célestes, et pour engager ainsi plus avant l'esprit aveugle « dans les voies des méditations anagogiques », présentaient la figure de l'homme, comme l'avaient fait naguère les lectionnaires ottoniens et les autels émaillés de la Meuse, — comme l'avait fait beaucoup plus tôt le pavement des mosaïques antiques, — isolée au milieu des médaillons par des cloisons successives. Ils la dégageaient tout à fait du cadre architectural où les imagiers romans avaient voulu la maintenir prisonnière. Et ces mêmes formules empruntées aux orfèvres et aux enlumineurs du IXe siècle, Suger décida de les appliquer aussi à la statuaire monumentale. Il avait vu en Bourgogne et dans le Poitou, aux façades des abbatiales, des portails ornés de sculptures. Il les imita et dressa au nord de la Loire les premières grandes figures de pierre. Toutefois, celles-ci, au porche de Saint-Denis, entourèrent des portes de bronze — celles des basiliques ottoniennes; aussi fallut-il que la pierre des montants accordât son modelé au modelé du métal. Si bien que les figures sculptées ne naissent pas ici du mur comme des efflorescences de la maçonnerie; ce sont des objets qu'une niche sépare de l'architecture, un dais semblable à celui des ivoires carolingiens. Des objets d'art. Comme des parures d'orfèvrerie, comme des pièces de trésor, exposées, les Vierges sages de Saint-Denis furent dans l'art médiéval les premières statues encadrées.

Enfin, toutes ces images, celles du porche, celles des vitraux, celles qui ornent la croix d'or et le trésor qui l'environne démontrent ce qui fait le fond de la théologie de Suger: l'Incarnation. « Qui que tu sois, si tu veux rendre honneur à ces portes n'admire pas l'or, ni la dépense, mais le travail et l'art. Le noble ouvrage brille, mais il brille avec noblesse; qu'il éclaire les esprits et les mène par de vraies lumières à la vraie lumière dont le Christ est la vraie porte. » A Saint-Denis, toutes les richesses du monde sont rassemblées pour honorer l'Eucharistie, et c'est par le Christ que l'homme pénètre dans les lumières du sanctuaire. L'art nouveau dont Suger fut le créateur est une célébration du Fils de l'homme.

Certes, les décorateurs romans n'avaient pas ignoré Jésus, mais ils voyaient en lui l'Eternel. Ils demeuraient éblouis par l'éclat aveuglant du buisson ardent ou des visions apocalyptiques. Tandis que le Christ de Saint-Denis est celui des Evangiles synoptiques : il prend le visage de l'homme. En effet, Saint-Denis s'est élevé dans l'exaltation qui suivit la conquête de la Terre sainte. Toute la littérature épique dont les thèmes se précisaient aux alentours de l'abbatiale célébrait un Charlemagne croisé en marche vers Jérusalem — et le roi Louis VII partit lui-même pour la croisade peu après l'achèvement du chœur de Saint-Denis, laissant la régence à Suger. Dans le demi-siècle qui suivit la délivrance du tombeau du Christ, alors que presque chaque année des troupes de pèlerins s'engageaient dans le saint voyage, toutes les attitudes religieuses, parmi les hommes d'Eglise, parmi les nobles, parmi les paysans mêmes, se trouvaient infléchies par l'appel d'un Orient rédempteur où Jésus avait vécu et souffert, par la grande espérance qui entraînait à l'aventure toute la chevalerie neustrienne et ce Christ couronné qu'était le roi de France. Or, que fut la croisade sinon la découverte concrète, tangible, à Bethléem, au Mont des Oliviers, au puits de la Samaritaine, de l'humanité de Dieu ? Autour du chantier de Saint-Denis, les croisés parlaient du Saint-Sépulcre. Dans cet environnement de ferveur évangélique, les reliques de la Passion, le clou de la croix, le fragment de la couronne d'épines, que jadis Charles le Chauve avait déposés dans le trésor du monastère, prenaient valeur plus essentielle. Voici pourquoi la théologie de Suger s'achève dans un effort pour relier l'image nouvelle de Dieu, le Christ vivant de l'Evangile, à l'image ancienne, celle de l'Eternel, où s'étaient fixées jusqu'alors les méditations monastiques.

Cette théologie se construit sur des démarches intellectuelles toutes semblables à celles qui guidaient depuis des générations la pensée des moines d'Occident. Elle est une glose des textes sacrés. Walahfried Strabon, au IXe siècle, avait établi un commentaire de base de l'Ecriture, que tous les clercs un peu instruits avaient entendu lire ou recopié eux-mêmes. Partant de l'idée que l'homme est composé de trois principes, le corps, l'âme et l'esprit, Walahfried proposait de chercher aux versets de la Bible trois sens, littéral, moral et mystique. Tout l'effort de compréhension que l'on poursuivait dans les cloîtres se fonda désormais sur de tels exercices d'élucidation. On lisait aussi dans saint Augustin que « l'Ancien Testament n'est pas autre chose que le Nouveau couvert d'un voile, et le Nouveau pas autre chose que l'Ancien Testament dévoilé ». La conception augustinienne de la croissance historique voyait le destin de l'humanité divisé en deux phases que sépare la naissance du Christ ; elle invitait à considérer l'histoire juive comme une prophétie vécue où s'était d'abord accompli symboliquement l'histoire chrétienne, avant que celle-ci ne se déroulât dans le réel. Le texte biblique offrait donc une suite d'événements prémonitoires, de signification spirituelle, dont « le mystère », selon saint Augustin, « était à chercher dans la réalité même et non pas seulement dans les mots ». De cette histoire, le Nouveau Testament constituait le modèle, l'Ancien Testament la préfigure. Effet de la vérité, bien qu'antérieur à elle, et non point cause : le Christ réalise les figures de l'Ancien Testament, et du même coup les abolit. Telles sont les perspectives où se développa la pensée de Suger. Mais sa théologie s'est exprimée par des images et non point par un texte, par le décor que l'abbé de Saint-Denis inventa pour sa construction de lumière, et qui visait à mettre en évidence, au long d'équivalences analogiques, la concordance entre l'Ancien Testament et l'Evangile, ce récit devenu vivant pour ses contemporains les croisés. L'iconographie de Saint-Denis reprit donc toute la symbolique romane, mais pour l'infléchir délibérément vers une représentation du Christ.

L'enseignement des concordances se développe, dès le seuil de l'église, dans les ornements du porche. Il se montre aussitôt comme une apologétique orthodoxe, dressée contre les déviations hérétiques, comme une profession de foi droite. Le portail est triple ; trois prêtres accomplissant simultanément les mêmes rites avaient coopéré à sa consécration. Il est ainsi représentation de la Trinité, dont on voit au portail central, au sommet de l'archivolte, l'image explicite. En effet, toute la théologie de Denys l'Aréopagite s'organisait autour du thème trinitaire, lui-même symbole de la Création, et d'autre part, à l'orée du XIIe siècle, ce mystère était précisément le lieu des débats les plus passionnés entre les penseurs sacrés : le concile de Soissons venait en 1121 de condamner comme suspect le *De Trinitate* d'Abélard. Toutefois, les images du portail célèbrent particulièrement celle des trois personnes qui, depuis la croisade, devenait la figure centrale, Jésus, « la vraie porte ». Voici pourquoi les colonnes qui supportent les voussures prennent à Saint-Denis, pour la première fois, la forme de statues. Statues de rois, de reines, ceux de l'Ancien Testament. Rassemblés en escorte triomphale au début des temps nouveaux que l'Incarnation inaugure, ces personnages historiques constituent le lignage royal du Christ, fils de David, ses préfigures mais aussi ses ancêtres par la chair, les êtres par qui il s'incarne et s'enracine dans le créé. Encore sont-ils, de surcroît, sur ce monument capétien, les symboles visibles du magistère de royauté.

Le thème est repris au centre de l'église, sur la grande croix d'or. Symbole resplendissant de la victoire rédemptrice, insigne que portaient sur leurs vêtements les aventuriers de la Terre sainte, la croix réfute souverainement tous les doutes obscurs, défie les prédicateurs clandestins qui, dans l'ombre des sectes, nient que l'homme puisse être racheté par la mort d'un homme charnel. Elle porte condamnation de ce Pierre de Bruys, hérésiarque, qui, à cette époque même, allumait à Saint-Gilles, aux confins méridionaux de la Gaule, un bûcher de crucifix. Elle est aussi démonstration des concordances par soixante-huit scènes qui l'ornent, juxtaposant les épisodes de l'histoire du Sauveur aux figures de l'Ancienne Loi. On voit enfin reparaître ce même enseignement sur les vitraux des trois chapelles de l'orient: au sud, Moïse, *novum testamentum in vetere*; au nord, la Passion, *vetus testamentum in novo*; au centre, l'Arbre de Jessé qui, par la généalogie de Marie, enfonce le Christ, corps de Dieu, dans une famille humaine, le plante au point central de l'histoire, dans la durée et dans la chair. Et sur l'un des vitraux, qui montre Jésus couronnant la Loi Nouvelle et arrachant les voiles de l'Ancienne, cette inscription qui est comme le manifeste de la théologie sugérienne: « Ce que Moïse voile, la doctrine du Christ le dévoile. » Tout le jeu des analogies s'accorde à glorifier, contre les séductions dualistes, non point la transcendance de Dieu, mais son Incarnation.

L'attention qui se transportait en ce temps des Psaumes, du Livre des Rois, de l'Apocalypse, aux Evangiles synoptiques, conduisait naturellement Suger à montrer Dieu conjoint à la nature humaine, à situer la Vierge Mère au cœur de l'iconographie des verrières, à représenter sur l'autel majeur l'Annonciation, la Visitation, la Nativité, à dresser sur l'un des vitraux, entre le tétramorphe, non plus l'Eternel de Moissac, mais Jésus crucifié. A Saint-Denis comme à Conques, le Jugement dernier décore au portail le tympan central. Mais il conjugue ici au texte de l'Apocalypse celui de l'Evangile de Matthieu. Repoussant dans les archivoltes les Vieillards musiciens, il fait place en revanche aux Vierges sages et aux Vierges folles, c'est-à-dire à l'humanité qui se partage entre l'insouciance et l'attente de Dieu. Il étend les bras du Christ dans le geste du crucifiement et dispose près de lui les instruments de son supplice. Il installe à ses côtés les apôtres, à sa gauche saint Jean peut-être, à sa droite la Vierge médiatrice. L'apparition glorieuse du Dernier Jour et la scène du Calvaire se trouvent ramenées de cette manière à leur identité profonde: on ne pouvait illustrer plus clairement l'espoir des premiers croisés qui, lorsqu'ils marchaient vers le Golgotha, souhaitaient y trouver la Jérusalem céleste dans l'éblouissement de la fin des temps. Enfin, Suger lui-même osa se faire représenter en contre-bas de la scène, dans la posture du donateur. Geste d'orgueil, sans aucun doute, d'un créateur satisfait de son œuvre — mais bien davantage volonté de manifester la présence de l'homme au sein même de la Parousie. Selon les hiérarchies de Denys, le plus humble des humains ne participe-t-il pas à la lumière de Dieu et à sa gloire? La basilique de Saint-Denis exprime un christianisme qui n'est plus seulement musique et liturgie, qui devient théologie. Une théologie de la Toute-Puissance, mais plus encore de l'Incarnation. L'œuvre de Suger s'établit pour cela dans une dimension nouvelle, celle de l'homme, illuminé.

L'église neuve, tout ouverte aux lumières, qui vint à l'horizon de la plaine de France dominer les huttes des laboureurs et les entrepôts vinicoles, s'élevait aux carrefours des routes, dans une province que l'effort des défricheurs plaçait au cœur de l'élan de croissance économique et politique. Elle déployait un exemple bouleversant. Tout l'art nouveau émane d'elle. Plaçons maintenant, vis-à-vis, les premières cathédrales qui tendirent à rationaliser son message, les cloîtres cisterciens qui le dépouillèrent de son faste, l'hérésie enfin, qui le refusait.

L'ART DES TRÉSORS

Dans l'Occident du haut moyen âge, le trésor n'était pas un luxe, il était nécessaire affirmation de puissance, instrument de domination. Il convenait au corps de Dieu, à celui des saints, à celui des rois, d'apparaître entourés du scintillement de l'or et des gemmes. Par l'éclat et par les raffinements de l'orfèvrerie devaient se manifester aux yeux de tous la gloire dont ces corps rayonnaient, le pouvoir magique dont ils étaient imprégnés, qui les élevaient au-dessus de la terre et qui leur valaient la vénération des foules. Au cœur de la nuit barbare, parmi les forêts et les friches que parcouraient des paysans affamés et presque nus, toutes les richesses d'un monde sauvage s'accumulaient donc en quelques points : les sanctuaires à reliques et les palais. Pour les princes et pour les prélats, afin de dresser autour de l'autel et du trône un environnement permanent de splendeurs, les artisans les plus habiles travaillaient les matières les plus précieuses. Ils s'efforçaient d'égaler en finesse et en somptuosité les quelques objets admirables qui, du fond des âges ou des lointains pays de haute culture, étaient parvenus entre les mains de leurs maîtres. Car ils avaient mission de reprendre ces pièces de collection, ces dépouilles de l'Antiquité romaine, ces intailles, ces camées, ces cristaux de facture islamique ou byzantine, de les réunir, de les enchâsser dans les ornements de la liturgie divine ou royale. Ils façonnaient les parures du sacré.

Les meilleurs de ces ateliers avaient servi l'Empire, celui de Charlemagne, puis celui des Ottons. Cet Empire se voulait romain. Il importait donc que les objets qui magnifiaient la gloire du guide unique du peuple chrétien, et que la munificence impériale distribuait entre les grands sanctuaires, portassent la marque de Rome. L'art du trésor, carolingien puis ottonien, fut donc volontairement archaïsant, antiquisant — en un mot : classique. Par ses techniques, par ce qu'il avait recueilli de l'humanisme méditerranéen, il s'opposait radicalement à l'esthétique romane. Or, au temps de Suger, cette tradition artistique était encore vivante ; elle se maintenait en Saxe, berceau de la race des Ottons et, plus vigoureusement, dans les cités du Rhin et de la Meuse, dans la Lotharingie, la plus carolingienne des provinces d'Europe. C'était là le domaine des fondeurs de bronze, le conservatoire de la seule véritable statuaire, le pays des émailleurs qui savaient enserrer dans l'or les pâtes lumineuses et multicolores.

Lorsque l'abbé de Saint-Denis voulut constituer un trésor digne de son monastère, digne aussi de la majesté des rois de France, qui commençaient à se sentir capables de reprendre l'héritage de Charlemagne et de conduire à leur tour la chrétienté vers son salut, il attira près de lui des orfèvres de Lorraine. Les objets d'art précieux qui sortirent de leurs mains étaient très vulnérables. La fonction du trésor n'était point en effet simplement ornementale ; il constituait aussi une réserve de richesse ; on y puisait dans les moments difficiles ; et pour rénover le décor royal, on détruisait périodiquement les anciennes parures. C'est pourquoi, de tout l'ouvrage commandé par Suger, il ne subsiste guère aujourd'hui que quelques vases sacrés construits sur des sardoines et sur des cristaux antiques ou arabes. On ne connaît la grande croix d'or qui fut dressée en 1140 sur l'emplacement du tombeau de saint Denis que par un panneau peint au XVe siècle qui en livre l'image, et par une réplique très réduite de son pied, conservée à Saint-Omer. Celle-ci fut exécutée une trentaine d'années plus tard par un autre artiste de la Meuse, Godefroy de Claire ou de Huy. Du moins sa décoration porte-t-elle témoignage des intentions théologiques de Suger ; elle exprime sa volonté de rendre sensibles, par la juxtaposition de scènes figuratives, les concordances entre l'Ancien et le Nouveau Testament. Le socle est supporté par les statuettes en bronze doré des quatre Evangélistes dont les écrits constituent les fondements de la foi ; sur la colonne, quatre plaques émaillées représentent les préfigures bibliques du sacrifice de Jésus : Moïse et le serpent d'airain, Isaac portant le bois, Aaron traçant sur le front des élus le signe Tau, Josué rapportant la grappe de la Terre promise ; sur le chapiteau paraissent les quatre éléments du cosmos.

Ce symbolisme typologique rayonna depuis Saint-Denis dans toute la chrétienté qui se tendait alors dans la lutte contre l'hérésie cathare, car de telles images démontraient les valeurs de la Rédemption. Les émaux d'un autel portatif que l'abbaye lorraine de Stavelot conservait dans son trésor présentent eux aussi les figures d'Isaac, du serpent d'airain, de Melchisédech et d'Abel. On retrouve celles-ci sur l'ambon de Klosterneubourg, que décora vers 1180 Nicolas de Verdun, autre orfèvre mosan, et dont l'iconographie complexe se fonde encore sur la théologie des concordances.

GODEFROY DE CLAIRE (OU GODEFROY DE HUY) - PIED DE CROIX PROVENANT DE L'ABBAYE DE SAINT-BERTIN. DEUXIÈME MOITIÉ DU XIIe SIÈCLE. SAINT-OMER, MUSÉE-HÔTEL SANDELIN.

CHÂSSE DE SAINT HÉRIBERT, ARCHEVÊQUE DE COLOGNE (MORT EN 1021) - VERS 1160-1170.
COLOGNE-DEUTZ, ÉGLISE SAINT-HÉRIBERT.

CHÂSSE DE SAINT CALMIN - FIN DU XIIe-DÉBUT DU XIIIe SIÈCLE.
MOZAC, PRÈS DE RIOM (PUY-DE-DÔME), ÉGLISE SAINT-PIERRE.

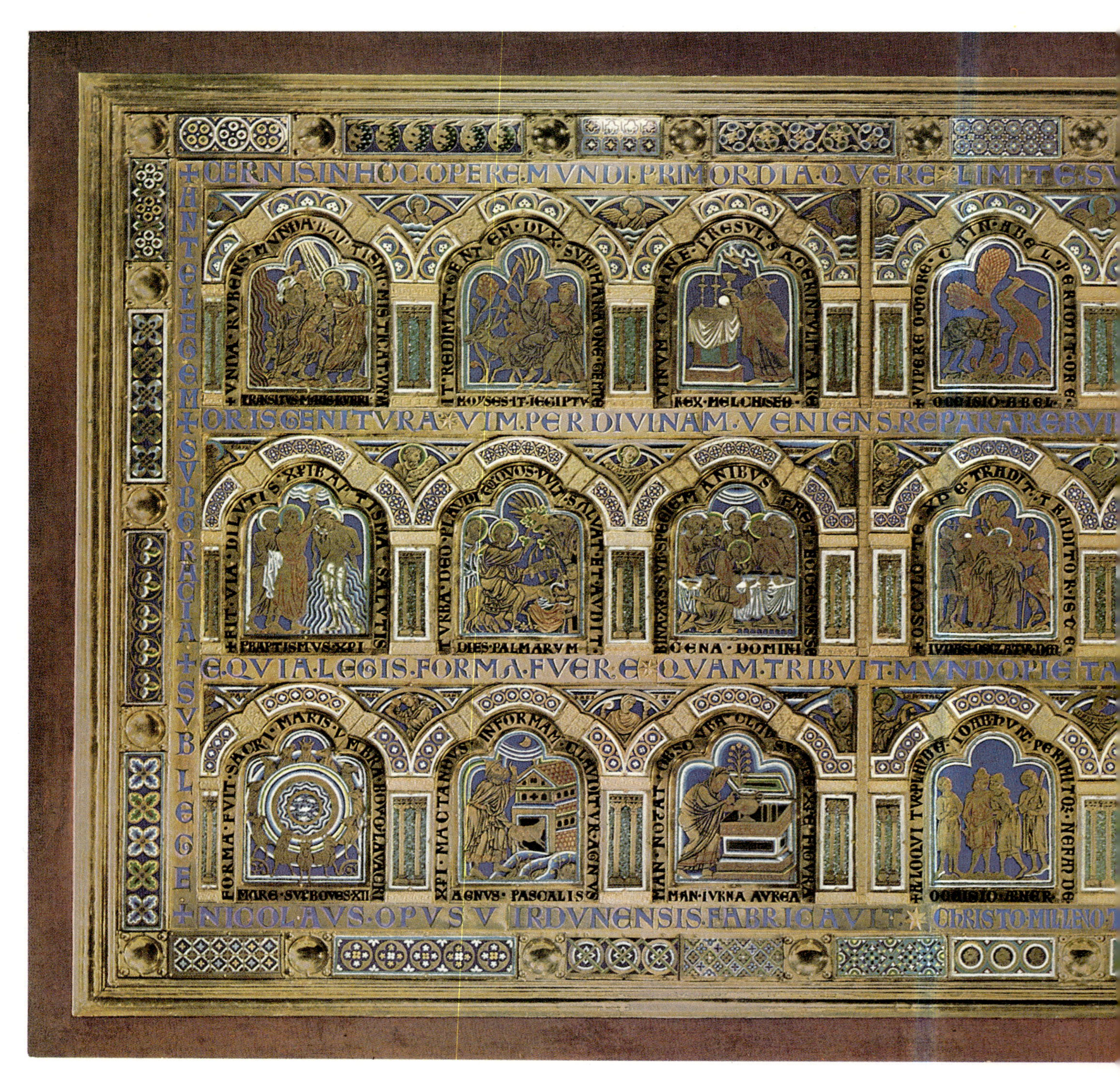

NICOLAS DE VERDUN (VERS 1130-VERS 1205) - RETABLE DE KLOSTERN

O. KLOSTERNEUBOURG, PRÈS DE VIENNE, MUSÉE DU COUVENT.

Avènement du vitrail

Dieu est lumière et l'intérieur de son église préfigure la Jérusalem céleste dont les murs, selon le texte de l'Apocalypse, sont construits de pierres précieuses. Voici la fonction du vitrail : dans l'édifice il fait pénétrer la lumière du soleil et, du même coup, il en opère la transmutation, il la pare, il la revêt des prestiges des diverses gemmes, rubis, topazes, émeraudes, lapis, dont les Lapidaires *analysaient les vertus et qu'ils mettaient en correspondance avec les qualités de l'âme et les essences spirituelles. Le vitrail, c'est l'art du trésor, l'art des châsses, des calices, des autels qui vient s'incorporer à la bâtisse. Il établit l'espace entier du sanctuaire dans les scintillements de l'orfèvrerie liturgique. Il en fait l'écrin d'une gloire annonciatrice des splendeurs surnaturelles, il transporte l'âme dans l'émerveillement. Mais comme les plaques d'émail des ambons, des croix et des reliquaires, le vitrail est aussi prédication de vérité. Il enseigne. Par ses images, il maintient dans la voie droite la méditation des serviteurs de Dieu. Il les guide vers la vraie croyance.*

Sur les verrières du chœur de Saint-Denis, Suger transpose donc le message d'édification que pouvaient déchiffrer sur la grande croix de l'autel majeur les officiants de la liturgie. Il le rend ainsi public, il le présente au peuple fidèle. Comme sur les évangéliaires ottoniens, comme sur les émaux de la Meuse, la démonstration s'inscrit dans une séquence de médaillons qui porte peu à peu la pensée vers l'illumination. Elle fixe, elle réunit tous les thèmes qui désormais fondent la propagande catholique et qui affirment la valeur de l'Incarnation face aux doctrines hérétiques. Du vitrail, ces thèmes se transportèrent bientôt sur les pages illustrées des livres sacrés et sur la sculpture des portails. Au centre, la croix. De l'exégèse des écoles monastiques, les vitraux de Saint-Denis traduisent les démarches. Ils commentent l'Ecriture, en dévoilent le sens caché, manifestent que l'Ancien Testament contient les scènes prémonitoires, les « antétypes » du Nouveau. Et pour montrer l'unité de Dieu en trois personnes, Suger propose aux générations qui le suivent le groupe de la Trinité : entouré par les quatre symboles des Evangélistes, Dieu le Père soutient Jésus crucifié que réunit à son image la colombe du Saint-Esprit.

Toute la méditation liturgique se concentre peu à peu sur le temps de Pâques et sur le récit de la Passion. Peu à peu la symbolique des concordances se retire de l'image et les personnages du Calvaire viennent remplacer ceux de la Genèse et de l'Exode. A la cathédrale de Poitiers, sur le vitrail de la Crucifixion, Jésus, représenté vivant sur la croix selon la tradition transmise par les ivoires du IXe siècle, est encadré par la Vierge, par saint Jean, par le porte-lance et le porte-éponge.

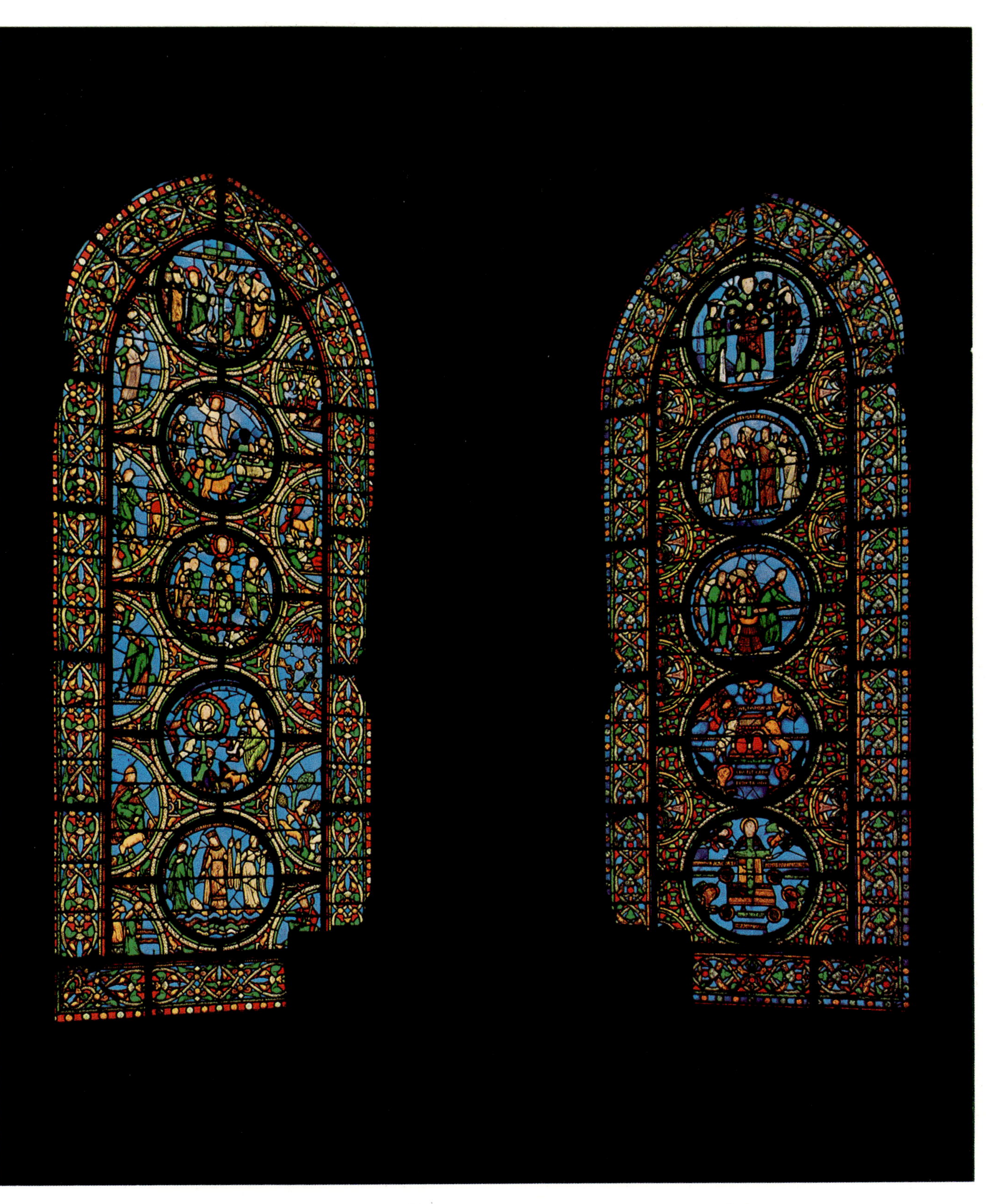

SCÈNES DE LA VIE DE MOÏSE ET ALLÉGORIE DE L'ÉGLISE, VITRAUX DE LA CHAPELLE SAINT-PÉRÉGRIN - VERS 1140-1144.
DÉAMBULATOIRE DE LA BASILIQUE DE SAINT-DENIS.

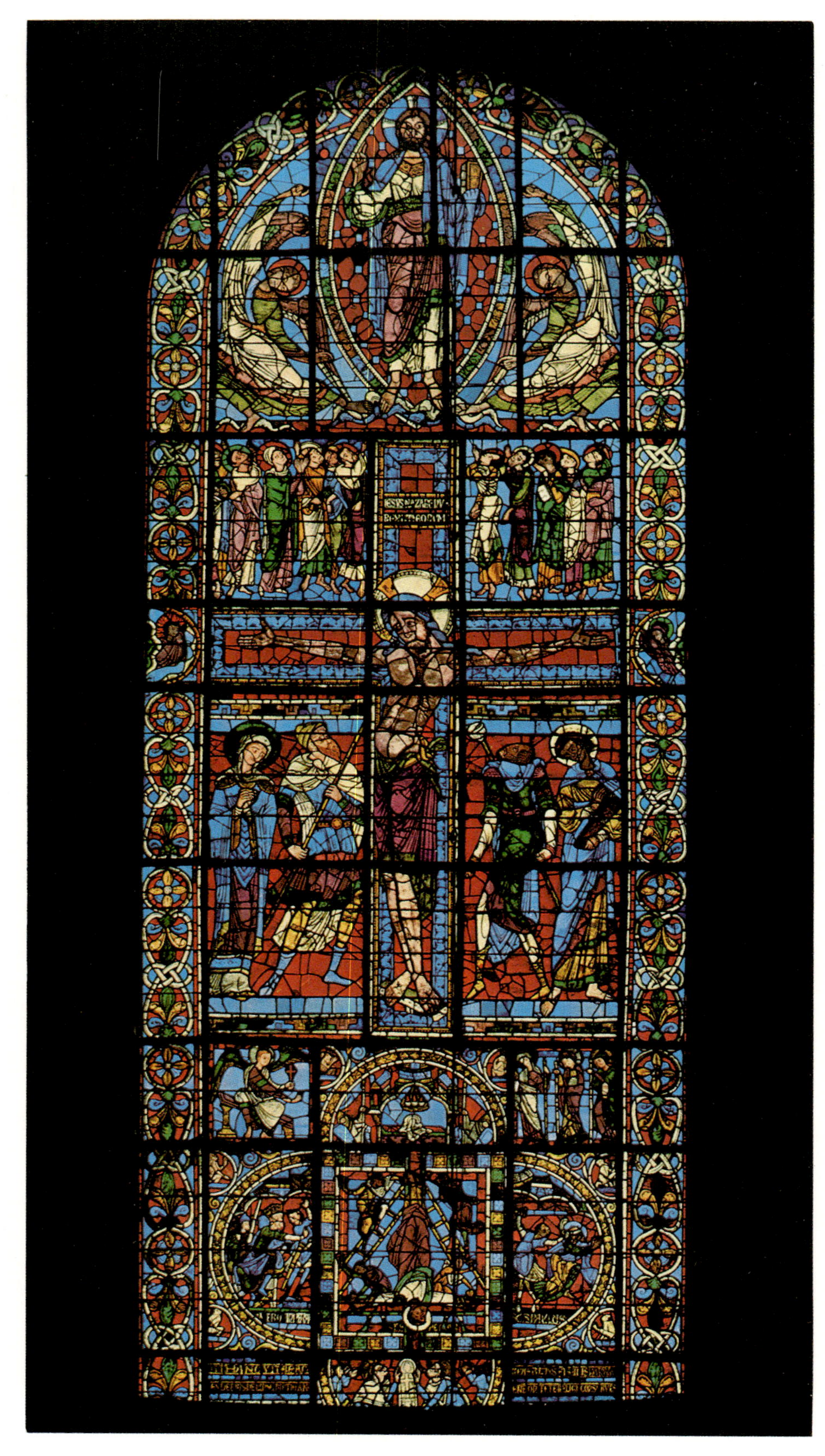

LA CRUCIFIXION, FRAGMENT D'UN VITRAIL - VERS 1165. POITIERS, CATHÉDRALE SAINT-PIERRE.

BIBLE DE FLOREFFE: LA CRUCIFIXION - VERS 1170. LONDRES, BRITISH MUSEUM, ADD. 17738, FOLIO 187.

L'ARBRE DE JESSÉ

La haute noblesse d'abord, puis la chevalerie, avaient pris corps dans le cadre du lignage. La révérence des ancêtres, dont la longue filiation établissait la fortune et la gloire de chaque famille aristocratique et dont la renommée faisait le prestige de chaque seigneur, constituait sans conteste à cette époque la plus forte armature de la conscience sociale. Tout chevalier, tout chanoine, se sentait alors l'héritier d'une race, et la mémoire des aïeux, précieusement cultivée, épousait la forme d'un arbre aux racines profondes et aux multiples rameaux. Lorsque l'Eglise du XIIe siècle voulut proclamer l'humanité du Christ face à tous les hérétiques qui niaient que la puissance divine ait pu se mêler au charnel, elle choisit donc pour illustrer sa démonstration un symbole généalogique, l'Arbre de Jessé. Selon Emile Mâle, cette image serait apparue pour la première fois sur l'un des vitraux de Saint-Denis et procèderait d'un jeu liturgique dont un manuscrit de Saint-Martial de Limoges, daté de 1100, livre le texte. Ce montage scénique faisait défiler l'un après l'autre les personnages de l'Ecriture dont les paroles avaient évoqué la venue du Messie et, plaçant à leur tête Isaïe, lui faisait proférer l'annonce : « Un rameau sortira de la tige de Jessé, et de sa racine sortira une fleur, et l'esprit du Seigneur reposera sur elle. » C'est bien un lignage que discerne la vision prophétique. Simplifié, l'arbre fait surgir du ventre de l'ancêtre trois figures, celle du roi David, celle de Marie, celle de son Fils. La royauté divine apparaît ainsi entée sur la royauté terrestre, qu'elle sublime. De la sorte, dans le chœur illuminé du sanctuaire, se trouve repris avec plus de force et d'évidence le symbole initial, celui du porche. La marche qu'inaugure au seuil de l'église le cortège des personnages de l'Ancienne Loi, des prophètes et des aïeux de Jésus, s'achève devant l'Arbre de Jessé. Le thème si clair se répandit de toutes parts. Aux vitraux répondent les peintures d'innombrables manuscrits de ce temps.

Car, au XIIIe siècle, les livres liturgiques et tous les objets de trésor paraissent des répliques de la cathédrale. Telle la châsse de Saint-Taurin d'Evreux, décorée entre 1240 et 1255. Cette œuvre, sans doute parisienne, fut exécutée sur la commande de saint Louis ; elle est marquée du signe héraldique du roi de France : fleurs de lys et châteaux de Castille parent les épis qui fleuronnent sur les sommets du reliquaire. Celui-ci a la forme d'une église à transept, dont un clocher surmonte la croisée. Comme les cathédrales nouvelles, il pousse vers le ciel un paysage fantastique de pignons, de gâbles, de pinacles, la silhouette d'une cité imaginaire, autre symbole de la Jérusalem céleste.

RABAN MAUR, « DE LAUDIBUS SANCTAE CRUCIS »: L'ARBRE DE JESSÉ - DEUXIÈME MOITIÉ DU XIIe SIÈCLE.
DOUAI, BIBLIOTHÈQUE MUNICIPALE, MS. 340, FOLIO 11.

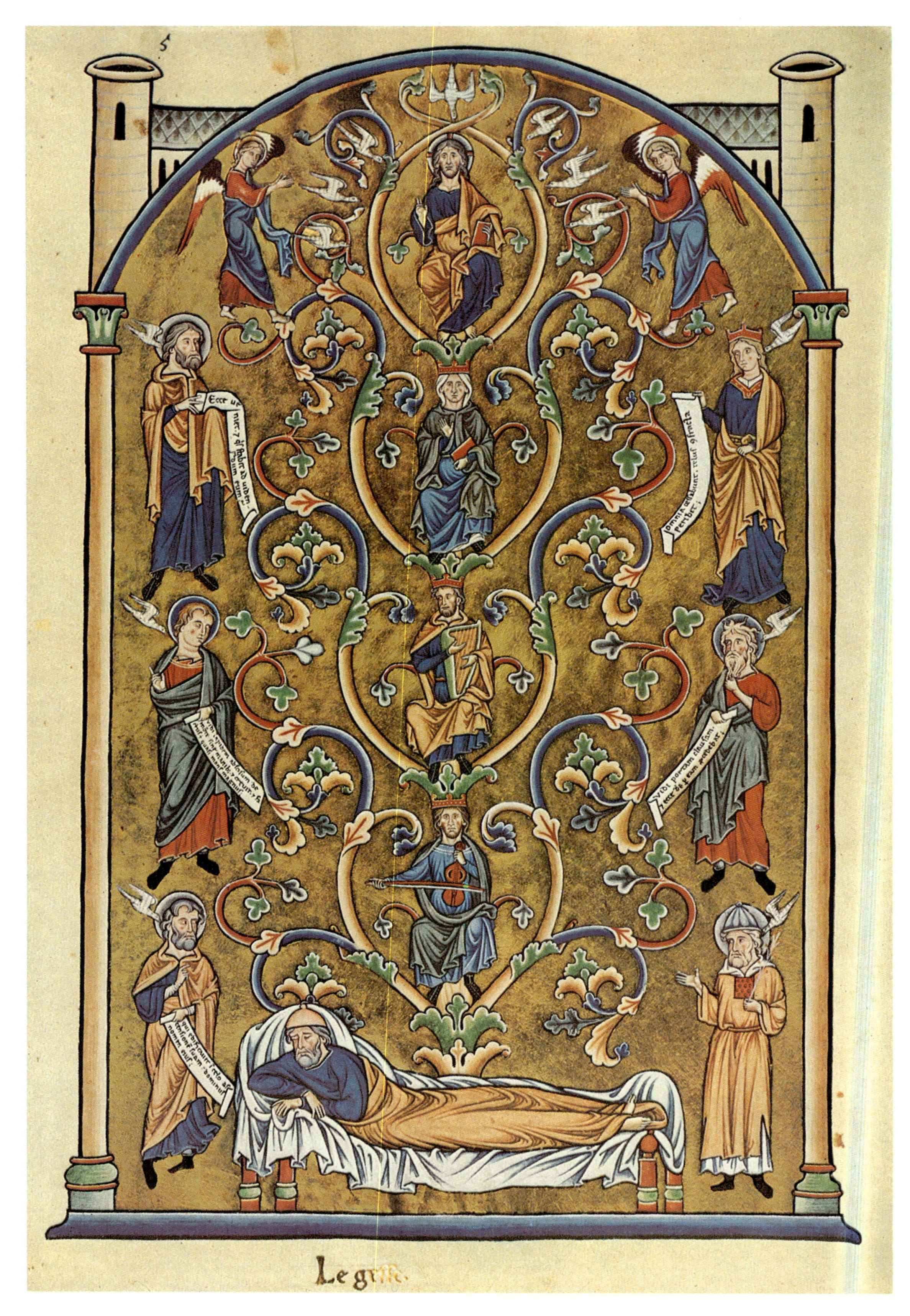

PSAUTIER DE LA REINE INGEBURGE : L'ARBRE DE JESSÉ - DÉBUT DU XIIIe SIÈCLE. CHANTILLY, MUSÉE CONDÉ.

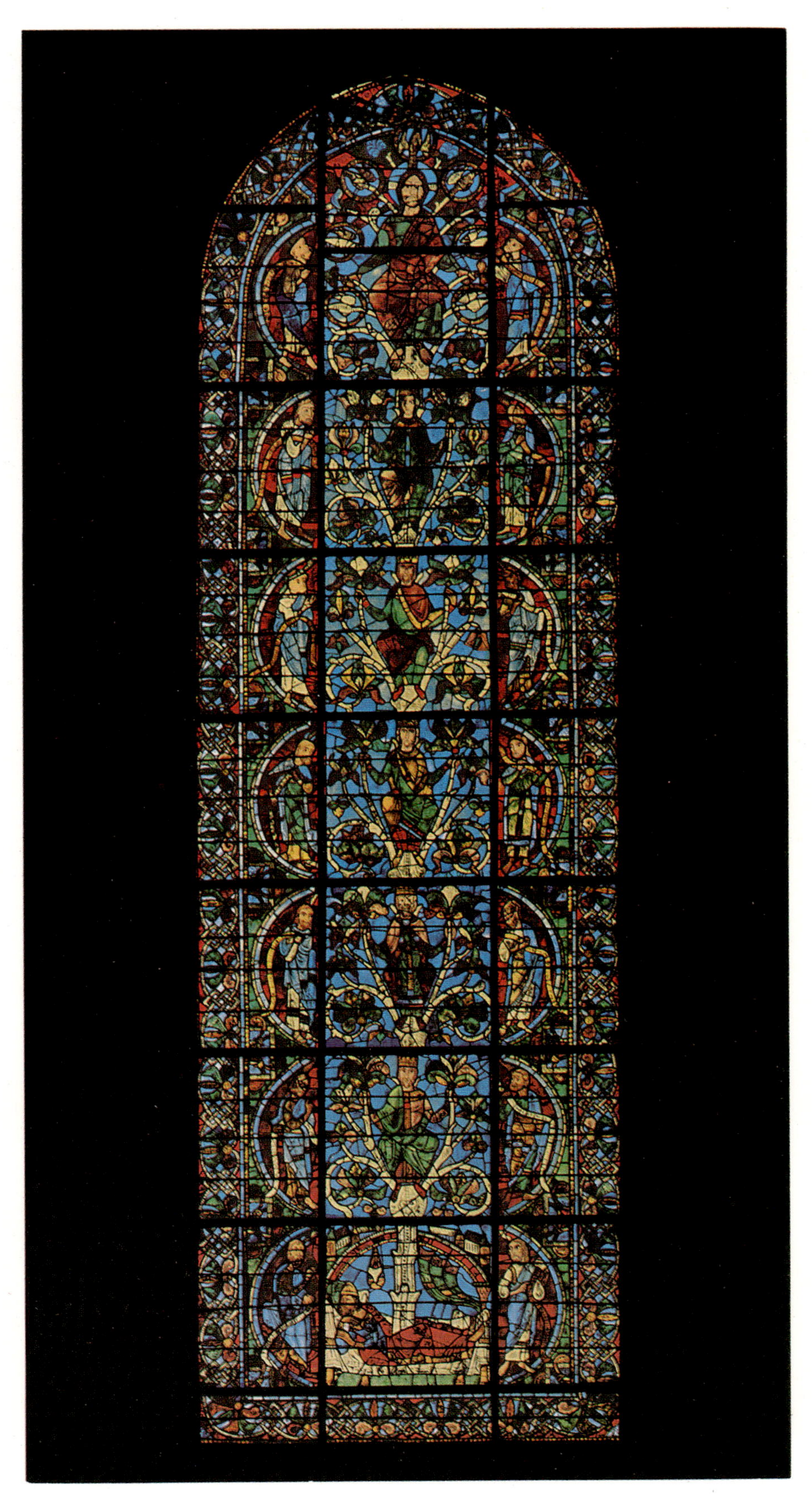

L'ARBRE DE JESSÉ, VITRAIL A DROITE DU PORTAIL ROYAL - XIIe SIÈCLE. CATHÉDRALE NOTRE-DAME DE CHARTRES.

CHÂSSE DE SAINT TAURIN - 1240-1255. ÉVREUX, ÉGLISE SAINT-TAURIN.

L'ÉGLISE DE LA CITÉ

Suger était fils de saint Benoît : il construisit l'église d'un monastère, le plus urbain peut-être. Mais ce furent des évêques, pasteurs des villes renaissantes, qui poursuivirent son œuvre. Des vitraux de Saint-Denis procèdent au milieu du siècle ceux de Chartres, de Bourges, d'Angers, qui sont des cathédrales ; de ses statues-colonnes, celles des cathédrales de Chartres, du Mans, de Bourges ; les innovations architecturales de Saint-Denis se prolongent entre 1155 et 1180 à Noyon, à Laon, à Paris, à Soissons, à Senlis, dans la lignée des cathédrales de Neustrie. Filiation naturelle : le pouvoir du roi sacré, dans l'idée même que s'en faisait Suger, reposait moins sur la hiérarchie féodale, dont il avait fondé les principes, que sur l'Eglise : il voyait dans les évêques, comme au temps des empereurs Louis le Pieux et Charles le Chauve, les vrais piliers de la royauté. Le transfert de l'initiative artistique depuis l'abbaye vers les cathédrales épousait d'autre part le profond mouvement des structures sociales. La grande poussée urbaine en Gaule du Nord l'entraînait.

Au sein de la forêt carolingienne, les villes avaient à peu près disparu. Les défrichements les ressuscitèrent. Etre seigneur, que l'on fût d'Eglise ou du monde, c'était vivre dans le luxe et se distinguer ainsi du commun ; les maîtres des grands domaines ruraux désiraient donc se montrer revêtus des plus belles parures, et voulaient que l'on servît du vin de qualité et des nourritures étranges dans leurs festins. Enrichis par l'essor agricole, ils purent satisfaire leurs goûts et firent ainsi la fortune des bateliers, de tous les « marchands de l'eau » qui sillonnaient la Seine, l'Oise, l'Aisne et la Marne et qui se réunissaient à Paris. Les vendeurs de bons vins, d'épices et de draperies multicolores prospérèrent ; dès la fin du XIe siècle, des trafiquants d'Italie étaient venus les rejoindre sur les chemins de France ; soixante ans plus tard, en Champagne, se développèrent des foires qui devaient bientôt devenir le carrefour principal du grand commerce européen. Les marchands de ce temps étaient des errants, des hommes d'aventure, mais ils fixaient leurs entrepôts dans les villes ; ces villes, ils les repeuplèrent. Dans l'extrême nord de la Gaule, Rome avait fondé peu de cités, et celles-ci s'étaient tout à fait dissoutes au milieu d'une barbarie plus profonde. Elles ne purent renaître. Des agglomérations sans passé naquirent ici aux meilleurs passages, près d'un monastère ou d'un château. Mais au centre de la Neustrie, les vieilles cités romaines étaient plus denses et plus vivaces. Les négociants s'installèrent au pied de leurs murailles ; un quartier neuf se développa le long de la grève où l'on tirait les barques, autour de la place du marché ; il s'étendit pendant tout le XIIe siècle, au rythme des affaires. Dans ses cases de boue et de bois, sordides, les richesses s'accumulaient, plus qu'à demi clandestines ; non point terriennes et visibles comme l'ancienne fortune des seigneurs, mais faites de valeurs mobiles, de deniers, de lingots, de cargaisons d'épices que l'on dissimulait aux collecteurs d'impôts et qui fructifiaient au hasard du commerce, dans les opérations de change, par le prêt sur gage. Dans ces trésors cachés, l'évêque et le chapitre, seigneurs de la cité et de ses abords, puisèrent de quoi reconstruire la cathédrale.

Celle-ci paraissait démodée. On n'avait point bâti dans ces régions pendant le Xe siècle, quand les pirates normands couraient le pays et pillaient tout ce qu'ils pouvaient atteindre. Ni dans le XIe siècle, temps de la lente reconstruction des campagnes. Voici maintenant que l'argent affluait. Les chanoines participaient aux affaires, ils vendaient au meilleur prix le blé et le vin de leurs domaines et des dîmes. Ils levaient des taxes fructueuses sur le port et le marché, en dépit des fraudes. Les bourgeois étaient leurs « hommes », c'est-à-dire leurs sujets, soumis au chevage, à la taille. Quoi qu'ils fissent, on les savait riches. Les seigneurs de l'Eglise les pressuraient, confisquaient leurs tonneaux et leurs balles. Ils extorquaient ainsi une part de leur épargne à ces hommes qui devenaient chaque jour plus nombreux, plus aisés. Parfois les bourgeois regimbaient. Dans l'émeute et la violence, se formait la commune, association de combat. Au fort de cette lutte, il arrivait que l'on tuât quelques chanoines, parfois même l'évêque, mais on finissait par s'entendre. Le traité accordait à la ville des franchises; il promettait moins d'arbitraire dans la taxation; mais toujours, en fin de compte, il affermissait l'emprise du clergé cathédral sur les richesses bourgeoises. Celles-ci parvenaient dans le trésor épiscopal par un autre courant plus abondant peut-être, celui des aumônes. Ces trafiquants, en effet, avaient mauvaise conscience. On leur répétait que « nul marchand ne peut être agréable à Dieu » parce qu'il s'enrichit aux dépens de ses frères. Au XIIe siècle, on tient encore en France le fait de commercer pour un péché mortel. Au soir de sa vie, l'homme d'affaires, inquiet pour son âme, souhaitait par conséquent se racheter par une forte donation; et il pouvait agir très librement, puisque son épargne n'appartenait qu'à lui, puisqu'elle n'était point, comme la fortune foncière des nobles, la propriété collective d'un lignage dont les membres s'unissaient pour que le patrimoine ne fût pas dilapidé et disputaient longtemps aux gens d'Eglise les legs trop généreux des ancêtres. Jadis, les aristocraties rurales avaient très largement donné: la puissance des monastères s'était assise sur ces offrandes. Mais elles devenaient parcimonieuses. Au temps de Louis VII et de Philippe-Auguste, le flot des donations pieuses vient des bourgeois enrichis. Dons en argent pour la plupart, non plus en terres, qui font passer les pièces de monnaie des échoppes ou des bancs des changeurs entre les mains de l'évêque et des chanoines. Enfin, le prélat qui ouvrait le chantier d'une nouvelle cathédrale pouvait attendre beaucoup du roi. Celui-ci pratiquait l'aumône avec plus de munificence que personne; l'évêque était parfois son frère ou son cousin, toujours son ami; il cherchait à placer dans les bonnes prébendes canoniales les fils de ses vassaux et les clercs de sa chapelle: il ne refusait rien. Voici comment purent s'élever, presque simultanément, les cathédrales françaises.

Alimentées à toutes ces sources, incroyablement dispendieuses, les initiatives épiscopales visaient d'abord à célébrer la puissance du prélat, à l'affirmation personnelle de sa gloire. L'évêque était grand seigneur; prince, il aimait qu'on parlât de lui; une cathédrale neuve lui semblait un exploit, une victoire, la bataille gagnée d'un chef de guerre. Lorsque Suger décrit ses entreprises de construction, on le sent rempli d'une vanité souveraine. Cette volonté de prestige individuel explique le mouvement d'émulation qui gagna l'un après l'autre en vingt-cinq ans tous les évêques du domaine royal, qui, plus tard à Reims, incita l'archevêque à établir son effigie sur les grandes verrières de la cathédrale, au milieu de la cour de ses suffragants, à faire remanier la disposition du porche afin que celui-ci fût plus magnifique encore que le porche nouvellement bâti par l'évêque d'Amiens, son rival.

L'église épiscopale reconstruite exprime en second lieu l'alliance de Melchisédech et de Saül, c'est-à-dire l'union du pouvoir pastoral et de la royauté. Autant que Saint-Denis, elle est monument royal. Mêmes tours engagées dans la façade, mêmes statues-colonnes ambivalentes, où le commun du peuple reconnaît la figure du roi Philippe de France et de la reine Agnès plutôt que celle de Salomon ou de la reine de Saba. La cathédrale nouvelle célèbre enfin la fortune de toute l'agglomération urbaine, de ce rassemblement confus de boutiques et d'ateliers qui tous ont coopéré à son érection, qu'elle domine et qu'elle exalte. Elle est aussi fierté bourgeoise. Le foisonnement de flèches, de gâbles, de pinacles qui la couronnent, dresse vers le ciel comme une ville de rêve, et dans cette idéale cité de Dieu le paysage urbain se trouve magnifié. Lorsque les communes se donnèrent des sceaux, elles ne trouvèrent point de meilleure image de leur puissance que la silhouette de l'église qui couronnait la cité. Ses tours veillaient sur la sécurité du commerce, son vaisseau offrait la seule place couverte au centre de la ville qui n'était en dehors d'elle que fouillis de ruelles étroites, de cloaques et de porcheries. Dans la cathédrale, on n'entrait pas seulement pour prier, les associations de métiers s'y rassemblaient, et la commune tout entière, pour ses réunions civiles. D'autre part, être l'« homme » de l'église procurait des privilèges et des exemptions douanières dont les gros marchands savaient le prix. Voici pourquoi les hommes d'affaires ont considéré ce monument comme leur. Ils l'ont voulu splendide, ils l'ont paré. Autre émulation. Les trafiquants d'Amiens qui vendaient le pastel pour la teinture des draperies sentaient bien que leur puissance trouvait illustration dans les beautés de leur cathédrale; dans celle de Chartres, chacune des corporations de la ville voulut avoir son vitrail. D'immenses capitaux s'investirent ainsi dans ces monuments. Sans tarir la prospérité urbaine, ils la consacraient à Dieu, ils la rachetaient, ils la glorifiaient. Cependant sur le chantier les maçons, les verriers et les tailleurs d'images n'exécutaient pas les ordres des marchands de vin ni des drapiers. C'étaient des professeurs qui conduisaient leurs mains.

* * *

Au XIIe siècle, les cathédrales de Neustrie sont des écoles, les seules vivantes. Dans la nuit carolingienne, les rois des Francs avaient tout fait pour que resplendît de nouveau un enseignement calqué sur des modèles antiques et romains. Ils avaient reconstitué des écoles, de grandes bibliothèques, des ateliers d'écriture. Toutefois, comme il était naturel au sein d'un monde demeuré tout rural, où les serviteurs de Dieu avaient seul accès aux livres et au savoir scolaire, où les abbayes enfin constituaient la pierre angulaire de l'édifice ecclésiastique, ces instruments de connaissance s'étaient concentrés dans des monastères. Pendant des siècles, les moines avaient délivré la meilleure instruction. Ils éduquaient les novices; ils accueillaient aussi de jeunes nobles: le souverain envoyait ses fils à Saint-Denis. Après les troubles de la décadence impériale, où l'église séculière s'était engagée dans la rusticité chevaleresque, les écoles monastiques constituaient encore au XIe siècle, dans la Gaule du Nord, les foyers d'études les plus rayonnants. Après 1100 cependant, leur éclat pâlit rapidement: elles se sont repliées sur elles-mêmes; elles ont refermé les tâches éducatrices à l'intérieur de la communauté, elles ne diffusent plus le savoir. Par volonté d'ascétisme en effet, le cloître se coupe du monde. Aux Bénédictins il incombe uniquement de prier, de chercher Dieu dans l'isolement: enseigner devient désormais la tâche spécifique des clercs. Tâche en premier lieu de l'évêque — mais celui-ci est trop grand seigneur: il siège aux cours des rois; il juge; on le voit, cuirassé, conduire des expéditions militaires. La plupart du temps il remet donc ses fonctions intellectuelles aux clercs de son église, aux chanoines, et spécialement à l'un d'eux qui reçoit mission de diriger l'école. Le quartier qui flanque la cathédrale — et qu'on appelle toujours le cloître bien qu'il soit ouvert — s'emplit alors d'élèves. Le mouvement qui transfère l'activité scolaire du monastère vers la cathédrale accompagne celui qui établit au centre des cités les foyers majeurs de la création artistique. Il est déterminé par les mêmes changements de structures, par la renaissance des échanges, les progrès de la circulation, la mobilité croissante des biens et des hommes; il accentue les innovations dont l'art liturgique est le lieu.

Car, dans l'école épiscopale, l'enseignement prend un nouveau style. Il se décontracte, il s'ouvre sur l'univers présent. Au monde, les abbayes tournaient le dos; elles s'en séparaient, elles s'en protégeaient par la clôture, que le moine ne devait pas franchir: il appartenait déjà au ciel plus qu'à demi. Dans le monastère, l'éducation ne se faisait guère en équipe, plutôt par couples: chaque jeune s'attachait à un ancien qui guidait ses lectures et ses méditations, l'initiait, le conduisait de degré en degré sur les voies de la contemplation. A l'inverse, l'école cathédrale est une escouade: un groupe de disciples se rassemble aux pieds d'un maître qui pour tous lit un livre, le commente. Ces étudiants ne vivent point enfermés; ils se mêlent au siècle; on les voit dans les rues de la ville. Bien sûr, tous, ou presque tous, appartiennent à l'Eglise: ils sont clercs, tondus, soumis à la juridiction de l'évêque. Apprendre est un acte religieux. Mais la mission à quoi l'enseignement les prépare est active; elle est séculière; elle est pastorale: c'est un ministère de la parole. Ils sont appelés à répandre parmi les laïques la connaissance de Dieu.

Le monde nouveau que le progrès de toute chose fait émerger de la rudesse et de la barbarie réclame davantage d'hommes capables de comprendre et de s'exprimer. Ces jeunes gens, qui ont abandonné les armes et les cours chevaleresques pour le service de Dieu, savent bien que, s'ils se forment aux techniques de la pensée, ils auront chance d'occuper dans l'Eglise les meilleurs postes. Ils accourent donc plus nombreux auprès de chaque siège épiscopal, et les équipes scolaires grossissent. Mais, très mobiles, elles croissent ou s'étiolent selon la qualité de celui qui les anime; car on se dit que, dans tel chapitre cathédral, l'armoire aux livres est mieux pourvue, le maître plus savant, plus expert, et qu'il sera bon dans l'avenir de pouvoir se réclamer de son enseignement. Ainsi, bientôt, certaines écoles éclipsèrent les autres, et l'activité intellectuelle se concentra rapidement autour de quelques foyers majeurs où l'on pouvait suivre les leçons de plusieurs professeurs, passer de l'un à l'autre, où la formation commençait à se distribuer en plusieurs cycles. Laon, Chartres furent au seuil du XIIe siècle les premiers points de concentration scolaire. Lorsque le chantier de Saint-Denis se ferma, Paris les avait décidément supplantés — victoire qui, pour une large part, tient à la gloire d'Abélard, le plus génial des maîtres de ce temps. En 1150, dans la ville royale, des centaines d'étudiants se pressaient, qui ne venaient plus seulement des campagnes proches de l'Ile-de-France, mais de Normandie, de Picardie, des pays germaniques, d'Angleterre surtout. Comme à l'origine, l'enseignement se donnait dans le cloître de Notre-Dame, mais on étudiait aussi maintenant sur la rive gauche de la Seine, sur la montagne Sainte-Geneviève. Des maîtres plus indépendants, plus audacieux, et dont l'école pour cela même était plus fréquentée, louaient des échoppes sur le Petit Pont, rue du Fouarre. En 1180, un Anglais, ancien élève, fonda le premier collège pour des étudiants pauvres. Au sud de la Seine, un nouveau quartier se formait, voué tout entier aux études, face à la Cité, quartier des gens du roi, face à la Grève et au Pont-au-Change, quartier des affaires. La grande ville, où l'art de France allait établir son foyer, prenait ainsi triple fonction, royale, marchande, universitaire; et dans les ruelles des écoles naissait alors un esprit nouveau.

A l'intérieur des monastères, et encore à Saint-Denis, étudier était un exercice clos sur la contemplation, fondé sur la méditation solitaire du texte sacré et sur le lent cheminement de l'esprit au fil des symboles et des analogies. Peu différent en vérité de la prière et du chant choral. Alors qu'à Chartres, à Laon, à Paris, le même dynamisme qui poussait les hommes d'affaires aux aventures commerciales entraînait les jeunes clercs aux conquêtes intellectuelles. On n'y lisait pas, on n'y méditait pas seulement, on y discutait. Maîtres et étudiants s'affrontaient dans des joutes, où les premiers n'étaient pas toujours vainqueurs. L'école cathédrale apparaît ainsi comme une lice, le lieu de prouesses verbales, exaltantes autant que les prouesses guerrières, et qui préparaient comme celles-ci à s'emparer du monde. Le jeune Abélard avait brillé dans ces tournois; comme un héros de chevalerie, il y avait trouvé la gloire et les succès amoureux.

Bien qu'elle se diversifiât, la conduite des études dans l'école épiscopale demeurait à vrai dire enserrée dans le vieux schéma des « arts libéraux », celui que jadis, pour les monastères carolingiens, les savants qui assistaient Charlemagne avaient exhumé de certains traités didactiques légués par l'Antiquité déclinante. La nouveauté vient de ce que, passé le premier tiers du XIIe siècle, les exercices du *trivium* se trouvèrent peu à peu cantonnés dans un rôle préparatoire à ce qui devenait désormais la fonction principale du clerc, l'interprétation critique du texte sacré et l'affermissement de la doctrine pour la diffusion de la vérité. L'étudiant recevait encore une initiation grammaticale et rhétorique. En effet, le commentateur de la Bible travaille sur des mots, dont il lui faut scruter le sens, et discerner clairement l'ordonnance. Des mots latins. Les maîtres lisaient donc devant les élèves débutants les textes classiques de la latinité, Cicéron, Ovide, Virgile. A leur beauté, les meilleurs n'étaient point insensibles. Ils communiquaient leur ferveur. Abélard et bien d'autres, saint Bernard lui-même, devaient toute leur vie rester fascinés par ces modèles. L'enseignement inclinait de la sorte à l'humanisme, et l'essor des écoles urbaines n'a pas peu contribué à restaurer, dans la pensée de ceux qui allaient concevoir le décor des cathédrales nouvelles, les valeurs de l'Antiquité, le sens de la plénitude humaine. Leurs yeux s'ouvraient. Ils se détachaient des formes romanes, inclinaient à leur préférer les ivoires carolingiens, l'art de la première renaissance, les valeurs plastiques des émaux mosans. Aux écoles de Chartres, aux écoles d'Orléans, vouées plus que les autres aux belles-lettres, prend sa source le courant renaissant qui vint enfin faire éclore, au portail de Notre-Dame de Reims, les figures antiquisantes de la Visitation.

Toutefois ce n'était là que formation préliminaire. A Laon, à Paris surtout, la dialectique devint bientôt la branche maîtresse du *trivium*. Art du raisonnement, exercice de la *ratio*, qui plaçait au premier rang des facultés du clerc la raison, « honneur de l'homme », comme l'avait proclamé cent ans plus tôt le maître Bérenger de Tours. Honneur de l'homme, mais aussi sa lumière spécifique, le reflet que son être projette du divin. Pour tous les professeurs et pour tous leurs disciples, ces intellectuels, l'intelligence paraît l'arme la plus efficace, celle qui peut conduire aux vraies victoires, et permettre de percer peu à peu les mystères de Dieu. Puisque l'on considérait que toutes les idées trouvaient leur principe dans la pensée de Dieu Créateur, et qu'elles revêtaient dans le texte de l'Ecriture une expression imparfaite, voilée, dissimulée sous des termes souvent obscurs et parfois contradictoires, c'était au raisonnement logique qu'il appartenait de dissiper ces ombres et de résoudre ces contradictions. Partir du mot, découvrir sa signification profonde — mais par les rigueurs du traitement dialectique et non plus en se laissant porter, comme dans les cloîtres monastiques, par la rêverie méditative. Au départ: douter. « Nous venons à la recherche en doutant, et par la recherche nous percevons la vérité », enseignait Abélard, et dans son *Oui et non*, il juxtapose les passages discordants de l'Ecriture pour mieux réduire leur désaccord. Exposition de textes isolés que l'intelligence retourne, interprète dans un sens et dans l'autre; mise en question; discussion; conclusion enfin: les « sentences ». Telle est la méthode qu'il expérimente et qu'il fait triompher. Cette attitude de liberté, beaucoup la disaient présomptueuse, pernicieuse, et certains démoniaque. Abélard se justifie: « Mes étudiants réclamaient des raisons humaines et philosophiques; il leur fallait des explications intelligibles plus que des affirmations; ils disaient qu'il est inutile de parler si l'on ne donne pas l'intelligence de ses propos, et que nul ne peut croire que ce qu'il n'a d'abord compris. »

Or voici que, dans ce temps même, l'instrument rationnel se perfectionnait très vite, par la progressive assimilation de procédés intellectuels que l'Occident pouvait désormais puiser dans des provinces culturelles extérieures à la chrétienté latine et beaucoup plus riches que celle-ci n'avait été jusqu'alors: dans le savoir du monde musulman et, par son intermédiaire, dans celui de la Grèce antique. Victorieuse de l'Islam, la chrétienté commençait en effet à piller ses richesses. Dans Tolède reconquise, des équipes de clercs latins et de juifs avaient entrepris aussitôt la traduction des livres arabes et des versions qu'ils contenaient des textes grecs. Comme les armées qui refoulaient peu à peu les infidèles étaient formées essentiellement de chevaliers de France, ce furent des prêtres de France qui menèrent l'exploitation intellectuelle de leurs succès. Le travail des traducteurs d'Espagne profita donc aux écoles de Neustrie, à Chartres d'abord, Paris ensuite: leurs bibliothèques accueillirent les livres nouveaux, et notamment les traités logiques d'Aristote. Ceux-ci offraient aux maîtres un arsenal dialectique dont les moines d'Occident n'avaient perçu avant eux, à travers Boèce, qu'une image déformée et dérisoire. Voici pourquoi après 1150, pour un Jean de Salisbury, qui avait étudié à Paris, Aristote est devenu le Philosophe, et la dialectique la reine du *trivium*. Sur elle s'appuient tous les progrès de l'esprit qui, par la *ratio*, dépasse et rend intelligible l'expérience des sens, puis par l'*intellectus* rapporte les choses à leur cause divine et saisit l'ordre de la création, pour aboutir enfin au véritable savoir, à la *sapientia*. Tandis que Pierre Lombard, dans son *Livre des Sentences*, expose à Paris la première analyse logique du texte biblique, près de lui Pierre de Poitiers pousse en avant les audaces: « Bien qu'il y ait certitude, il nous appartient pourtant de douter des articles de la foi, et de chercher, et de discuter. »

De ce doute, de cette recherche, de ces discussions, la jeune théologie tire sa puissance — plus sèche mais raffermie, vigoureuse, rigoureuse. Abélard s'était attiré la haine tenace des moines de Saint-Denis en mettant le premier en question l'identité du Denis dont ils vénéraient les reliques et de Denys l'Aréopagite; contre ce dernier, il eut le courage de proposer une autre *Theologia*. Celle-ci, en vérité, se fonde encore sur l'illumination: « La lumière du soleil matériel n'est point en nous le fruit de notre propre effort d'appréhension, mais d'elle-même elle se répand sur nous pour que nous en jouissions. De même nous approchons de Dieu dans la mesure exacte où lui-même s'approche de nous en nous donnant sa lumière et la chaleur de son amour. » Pour les professeurs, Dieu demeure donc lumière, et c'est pourquoi les cathédrales qu'ils bâtirent se sont élevées plus lumineuses encore que Saint-Denis. Mais elles devinrent aussi plus évangéliques. Car dans la pensée des écoles se poursuit le transfert de l'Ancien Testament au Nouveau; elle prend plus claire conscience de l'Incarnation; elle s'appuie plus fermement sur le préambule de Jean, et sur tous les textes qui montrent dans le Verbe de Dieu la vraie lumière, par qui tout a été fait, qui est vie et qui illumine tout homme venant en ce monde. Aux yeux des maîtres des écoles urbaines soucieux de rigueur et qui veulent comprendre ce dont ils parlent, Dieu ne se montre plus aussi souvent comme le foyer éblouissant, dont les splendeurs intemporelles aveuglent encore les contemplations monastiques; ils le voient plutôt sous l'aspect d'un homme. Comme eux, le Christ est un Docteur qui dispense les lumières de l'intelligence — comme eux portant un livre, comme eux enseignant: leur frère.

Cette pensée se veut lucide. Elle libère l'homme du formalisme, distingue la volonté de ses actes: pour Héloïse, Abélard n'écrit-il pas que « le crime est dans l'intention, non dans la faute »? Elle procède par analyse, par dissociation progressive de la complexité. Elle assure que « rien n'existe sinon l'individu ». Elle propose une représentation articulée du réel dont l'unité — comme celle de la cathédrale nouvelle — réunit en une somme la diversité d'éléments discrets. Ce qu'elle voit, c'est la nature. Elle l'explore car, dit encore Abélard, « il y a dans les herbes, les semences, dans la nature des arbres et des pierres, bien des forces capables de remuer et d'apaiser vos âmes ». Elle décrit — et la sculpture des cathédrales avec elle — le monde créé tel qu'il apparaît au regard. Thierry de Chartres entreprend la première interprétation du texte de la Genèse qui ne reposât point sur des symboles mais sur les nouvelles connaissances physiques. Il ramène l'œuvre de Dieu au jeu des quatre éléments du cosmos et des sphères concentriques: le feu plus léger s'évade vers les confins de l'espace; de l'eau qui s'évapore naissent les étoiles; de la chaleur, la vie et tous les êtres animés du monde. L'univers cesse d'être un ensemble de signes où se perd l'imaginaire, il revêt une figure logique que la cathédrale a mission de restituer en situant à leur place toutes les créatures visibles. Il appartient désormais au géomètre, par la science déductive des mathématiques, de transposer dans le concret, d'incarner dans la pierre le fantastique aérien de la Jérusalem céleste, dont les vitraux avaient naguère proposé, dans l'irréel des irradiations lumineuses, la première évocation.

Dans la formation des professeurs, les mathématiques appuyaient en effet les disciplines logiciennes, autre conquête sur la culture de l'Islam vaincu. En Espagne, dans l'Italie du Sud, les clercs qui suivaient les héros de la geste chrétienne découvraient peu à peu dans les livres arabes non seulement la philosophie des anciens Grecs, mais encore leur science. Pour les écoles de Chartres, on traduisit Euclide et Ptolémée, et des traités d'algèbre. Au sein des classifications du savoir qui se substituent peu à peu au schéma périmé de l'ancien *trivium*, la géométrie, l'arithmétique s'établissent en bon rang, et dans son *Didascalion* le maître parisien Hugues de Saint-Victor place auprès des arts libéraux les arts mécaniques. Pour la première fois à Saint-Denis l'ordonnance d'un monument avait été déterminée « à l'aide des instruments de la géométrie et de l'arithmétique » et, de toute évidence, le plan de la crypte, qui devait respecter des substructions du IXe siècle, dut être établi par l'épure et par le compas. Ce recours affranchissait la nouvelle architecture de l'empirisme des constructions romanes; son armature logique la libérait du matériau, l'autorisait à concevoir des édifices moins étroits, moins trapus, plus translucides; enfin le calcul des mathématiciens procurait le moyen de donner réalité à ces constructions rationnelles. Les arcs-boutants, qui furent inventés à Paris en 1180 pour hisser plus haut la nef de Notre-Dame, sont fils de la jeune science des nombres. Planté sur l'école cathédrale, l'art de France se plaît à figurer au soubassement de ses églises les sept arts libéraux. Dès la fin du XIIe siècle, il était art de logicien; bientôt il allait devenir art d'ingénieur.

PREMIÈRES FIGURES GOTHIQUES

Du trésor de Saint-Denis il reste fort peu de pièces ; de la sculpture de Saint-Denis il ne reste à peu près rien. Mais il y a Chartres, où l'équipe d'artistes rassemblée par Suger se transporta sans doute vers 1150, et Chartres est intact : au portail royal rayonne la nouveauté de l'art de France. Celle-ci procède du bouleversement dont fut le lieu, au seuil du XIIe siècle, l'univers mental des hommes d'Eglise. Aux écoles de Chartres, de Laon ou de Paris, ils écoutaient les maîtres les plus hardis d'Occident, et ces leçons les délivraient peu à peu du monde irréel où s'était déployée la pensée de leurs prédécesseurs. Les textes de Cicéron, d'Ovide ou de Sénèque leur montraient en l'homme une personne, qui aime, qui souffre et qui se tend contre le destin. Ils s'accoutumaient à l'analyse des mouvements de l'âme, dont la description s'introduit, à l'époque même où s'ouvre le chantier de Chartres, dans les récits brodés, pour le divertissement des chevaliers et des dames, sur des thèmes antiques, sur l'histoire d'Enée ou de la guerre de Troie. Enfin, le commentaire de l'Ecriture sainte leur offrait de Dieu une image nouvelle : voici ce qui, au premier chef, importe.

Pour ces clercs en effet, et pour les artistes qui donnaient forme à leur pensée, la beauté, c'est ce qui ressemble à Dieu. Eblouis par la transcendance du Dieu de Moïse, d'Isaac et de Jacob — ce feu dévorant, cette face dont nul ne peut affronter l'éclat et qui pour l'œil humain n'a point de traits visibles — les moines de 1100 s'étaient efforcés de trouver non seulement du monde à venir, mais de celui-ci même, des équivalences symboliques. Leur prière était musique ; lorsqu'ils cherchaient à la transposer en figures, celles-ci ne représentaient pas les apparences sensibles, elles illustraient des concepts. Tandis que le Dieu des nouveaux évêques, des chanoines et des professeurs d'Ile-de-France, c'était maintenant le Fils de l'homme. Pour eux, l'Eternel avait décidément pris corps et visage, un corps et un visage humains. Dès lors, pour traduire la perfection divine, l'artiste ne devait plus se retirer parmi les signes ; il lui fallait ouvrir les yeux.

A Chartres, puis au Mans, à Saint-Loup-de-Naud, à Bourges, les statues des rois de l'Ancien Testament, celles des apôtres qui vinrent les rejoindre pour mieux exprimer l'alliance entre les deux Lois, demeurent prisonnières du mur et conservent les proportions des colonnes dont elles sont issues. Point de vie apparente, nulle ébauche de mouvement dans le cylindre de leur corps, étroit, rigide, immobile et qu'une robe aux plis parallèles enserre de cannelures. Mais leur visage est vivant. Il perd peu à peu la symétrie qui le situait naguère dans l'univers abstrait des séquences grégoriennes. Et pour montrer les anges qui se pressent autour du corps endormi de la Vierge, le maître de Senlis, en 1185, ne copie plus le dessin des antiphonaires : il observe l'envol des oiseaux.

FAÇADE DE LA CATHÉDRALE NOTRE-DAME DE CHARTRES - MILIEU DU XIIe SIÈCLE.

PORTAIL ROYAL (OU PORTAIL OCCIDENTAL) DE LA CATHÉDRALE NOTRE-DAME DE CHARTRES - 1145-1150.

LE ROI SALOMON, LA REINE DE SABA ET LE ROI DAVID, STATUES DU PORTAIL SUD - XIIe SIÈCLE. BOURGES, CATHÉDRALE SAINT-ÉTIENNE.

ROIS ET REINES DE JUDA, STATUES DU PORTAIL ROYAL - 1145-1150. CATHÉDRALE NOTRE-DAME DE CHARTRES.

UN ROI DE JUDA, DÉTAIL D'UNE STATUE DU PORTAIL ROYAL - 1145-1150. CATHÉDRALE NOTRE-DAME DE CHARTRES.

UN ROI DE JUDA, DÉTAIL D'UNE STATUE DU PORTAIL ROYAL - 1145-1150. CATHÉDRALE NOTRE-DAME DE CHARTRES.

INTÉRIEUR DE LA NEF DE LA CATHÉDRALE NOTRE-DAME DE LAON, ÉDIFIÉE DANS LA DEUXIÈME MOITIÉ DU XIIe SIÈCLE.

1

L'ESPACE DE LA CATHÉDRALE

De l'Eternel, la façade des églises nouvelles démontre la puissance. La cité de Dieu est le refuge, le lieu de sûreté, où les milices célestes tiennent garnison victorieuse. Forteresse imprenable: les forces mauvaises, tous les ferments de corruption qu'elle annule ne sauraient prévaloir contre elle. Sa silhouette est donc celle d'un château, de ces donjons de pierre que les barons avaient édifiés à la fin du XIe siècle dans les pays de la Loire et de la Seine. Massif, carré comme eux, vigoureusement planté, le front de la cathédrale s'établit en position dominante. Comme la croisade, il assume en effet la vocation militaire de la société féodale et l'engage dans les voies du salut. La cohorte des rois de Juda, qui ont transmis à leur rejeton Jésus l'héritage de la souveraineté terrestre, accueille donc le peuple fidèle au seuil d'une citadelle.

En Neustrie, des traditions architecturales très anciennes proposaient les éléments de cette symbolique de la grandeur. Pour construire l'avant-corps de sa basilique, Suger put s'inspirer des clochers-porches d'Ile-de-France, et davantage de la façade hautaine des abbayes normandes dont les chefs avaient servi Guillaume le Conquérant. Dans la Normandie de 1080, qui lançait dans toutes les aventures ses guerriers engoncés dans le haubert, deux tours déjà encadraient l'entrée des sanctuaires que favorisaient les ducs et où ils puisaient les bons prêtres, capables de réformer l'Eglise anglaise et de la tenir en main. Les hautes murailles que dressèrent à Ely, à Wells, dans l'Angleterre conquise, les évêques normands, au seuil de la maison de Dieu, sont leurs filles.

Lorsque Suger incorpora au massif occidental de Saint-Denis les deux tours des monastères de Caen, il introduisit dans l'édifice le principe de verticalité qui, jusqu'à la fin du moyen âge, emporta dès lors vers le ciel toutes les églises épiscopales nouvelles. Toutefois, les structures de l'antéglise qu'il avait conçue, l'ordonnance des trois portails, l'étage de la chapelle haute, la rose qui l'éclaire, ramenaient le monument à l'horizontale. Le rapport entre les deux dimensions, l'une enlevée par l'ascension des contreforts et des pilastres, l'autre soulignée par les galeries et les frises, devait désormais commander les recherches des maîtres d'œuvre sur la façade de la cathédrale gothique. Celle-ci cependant ne perdit jamais son allure initiale: elle demeura image de force et de victoire. Cette victoire de la foi et du Verbe incarné ne pouvait être que militaire pour une société que dominaient les guerriers, dont les évêques vivaient entourés de vassaux casqués et résistaient mal au désir de prendre eux-mêmes la tête des chevauchées militaires, pour une chrétienté violente et conquérante dont le chevalier du Christ incarnait l'idéal de virilité. Le royaume de Dieu, pour elle, avait la forme d'un château fort.

Saint-Denis, le modèle de l'église gothique, était une abbatiale, un bâtiment conçu pour le déroulement des liturgies monastiques, accolé au cloître et communiquant avec lui par le passage transversal du transept. Il formait l'oratoire privé d'une communauté close, où le peuple était admis parfois, mais où il ne cessait jamais tout à fait d'être un intrus. Alors que la cathédrale était le sanctuaire de la cité, celui du clergé et du peuple, dont l'évêque est le mandataire élu, le pasteur. *Clerus et populus:* la cathédrale, église ouverte, devait accueillir les deux corps de la société chrétienne. De fait, la réforme grégorienne était venue, à la fin du XIe siècle, accuser la distance qui séparait du clergé les fidèles, et marquer la supériorité du premier sur les seconds. Aux clercs, dans l'espace interne de la cathédrale, la meilleure part fut pour cette raison réservée, et l'ensemble de l'édifice se développa de manière à répondre d'abord aux exigences de leur mission propre. Celle-ci n'était pas à vrai dire foncièrement différente de celle des moines: comme ces derniers, les clercs de la cathédrale avaient pour activité principale de chanter tous ensemble au long des heures du jour la gloire de Dieu. Aussi, l'église de l'évêque, comme celle du monastère, ordonna-t-elle son espace intérieur autour du chœur et ménagea des couloirs de circulation pour la marche des processions rituelles. Quant au peuple, il demeura contenu près de l'entrée, ou bien, comme déjà dans les basiliques des monastères à pèlerinage, il fut établi au-dessus des bas-côtés, dans des tribunes qui dominaient la nef centrale. Car il n'était encore que spectateur: il assistait à l'office, il n'y participait point.

Cependant la cathédrale tendait à présenter dans son intérieur un espace tout différent de celui de la basilique monastique, et ceci pour deux raisons principales. En premier lieu, parce que les clercs étaient loin d'être autant que les moines isolés du peuple. Dans les pays proprement français, la réforme n'avait pas en effet ramené le clergé de la cathédrale dans le strict cadre communautaire qu'imposait à l'époque carolingienne la règle canoniale. Les chanoines formaient un corps, mais souple; ils ne vivaient point ensemble dans un espace clos. Ce qu'on appelait encore le « cloître » dans les cités de France, était en fait un quartier ouvert, voisin du sanctuaire, mais où chaque membre du chapitre possédait sa maison particulière. Liberté d'allure: point de vie collective et, par conséquent, point de transept. Ce vaisseau qui coupait perpendiculairement la nef centrale, n'ayant plus de fonction, s'atrophia: il subsiste encore à Notre-Dame de Paris mais ne dessine plus de saillies extérieures. L'espace de la cathédrale tendit ainsi à l'unité.

Par ailleurs — et voici ce qui fut plus déterminant encore — la théologie nouvelle de l'illumination impliquait cette unité structurale: la lumière, qui apparaissait tout à la fois comme Dieu lui-même et comme l'agent de l'union entre l'âme et Dieu, devait remplir entièrement le Royaume dont les murs de la cathédrale délimitaient symboliquement le champ. Il importait par conséquent de réduire autant qu'il était possible à la continuité le volume intérieur de l'église. On évita donc toute interruption dans la suite des travées; on renonça aux alternances entre les piliers et les colonnes; on vit disparaître les tribunes qui faisaient obstacle à l'extension des verrières. A la Sainte-Chapelle, qui n'est qu'un reliquaire, l'unité totale est atteinte. Mais en fait, elle n'est pas moindre parmi les cinq nefs accolées de la cathédrale de Bourges.

L'ESPACE DE LA CATHÉDRALE

1. Notre-Dame de Paris – 1163-1250.
2. La cathédrale d'Ely (Cambridge) – Fin du XIIe siècle.
3. La cathédrale Notre-Dame de Laon – 1150-1350.
4. La cathédrale de Wells (Somersetshire) – 1220-1239.
5. Intérieur de la cathédrale de Salisbury (Wiltshire) – 1220-1320.
6. Intérieur de la cathédrale Saint-Etienne à Bourges: Les voussures de la nef et du déambulatoire – vers 1200-1280.

1

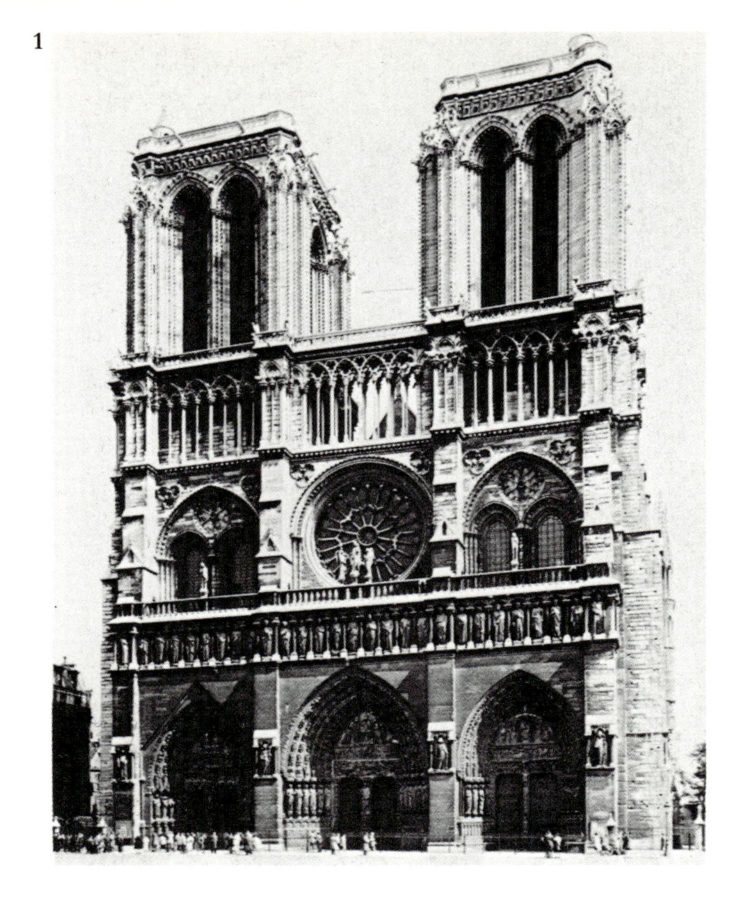

3

2

4

5

6

LA VOIE CISTERCIENNE

Pourtant, les nouvelles cathédrales naquirent dans une société dont l'idéal de sainteté demeurait incontestablement monastique. Au temps d'Abélard et des arcs-boutants de Notre-Dame, culminait en effet et s'achevait en Occident l'ample mouvement spirituel qui, depuis le triomphe du christianisme et l'effondrement de Rome dans les misères du VIe siècle, avait cherché la clé du salut dans un refus du monde. Pour les contemporains de Philippe-Auguste encore, échapper au péril, sauver son âme consistait d'abord à se « convertir », à revêtir l'habit de saint Benoît, à se retirer dans un cloître. Non point le cloître ouvert des chanoines et des écoliers: celui des moines.

Il s'agissait en vérité d'un monachisme réformé, d'un monachisme rénové. L'ancienne interprétation de la règle bénédictine, celle de Cluny, qui s'était adaptée si parfaitement aux structures seigneuriales du premier âge féodal, se trouvait maintenant condamnée. On reprochait aux Clunisiens de vivre comme des nobles, de n'être point assez fermés au siècle. On critiquait leur refus du labeur, leur confort, ce goût du faste qui soutenait encore l'entreprise de Suger. Ce monde que pénétrait l'argent, qui prospérait, se parait et s'accoutumait au luxe et aux plaisirs, vint établir par compensation ses modèles de perfection spirituelle dans la pauvreté, la solitude, le travail et le dépouillement total. Pour se sauver luimême, il faisait confiance aux ascètes, et vénérait les ermites qui partaient dans les forêts vivre d'herbes et de racines. Un chevalier, touché par la grâce, décidait-il de rompre avec les siens, de quitter les armes et la gloire, il n'entrait plus dans un prieuré clunisien. Il n'eût pas brisé là suffisamment avec le monde de pouvoirs, de noblesse et de luxe qu'il voulait fuir. Il se faisait charbonnier. Dans les années qui entourent 1100 s'étaient donc formés de nouveaux ordres religieux. La Chartreuse proposait, radicalement neuves, les vertus d'un monachisme à l'orientale, celui du désert: fuite dans les rochers, le pain et l'eau, le silence de la cellule. Cependant le grand succès se portait vers des formules moins durement opposées à celles de Cluny, et qui s'appliquaient à concilier la prescription bénédictine de vie commune et l'ascétisme. L'année où l'on consacra le chœur de Saint-Denis, l'année où s'ouvrit à Chartres le chantier du portail royal, la France assistait à un second triomphe monastique, celui de l'ordre de Cîteaux: en 1145, plus de trois cent cinquante monastères dispersés dans tout l'Occident, le siège pontifical occupé par un Cistercien, et saint Bernard qui domine le monde. On peut ne pas aimer cet homme violent, décharné, animé de la fureur de Dieu, luttant à mort contre Abélard qu'il terrasse, fustigeant la Curie romaine et sa propension aux gloires temporelles. Mais c'est bien saint Bernard qui lance les croisades, qui conseille les rois, qui les morigène, qui part prêcher à Albi contre les cathares. Il est partout. On l'élit archevêque de Reims, il refuse: il reste moine. Il conduit les moines blancs à la conquête de l'Eglise et du siècle.

Ce triomphe, dont saint Bernard est l'artisan, s'est prolongé après 1200. Cîteaux demeura longtemps la pépinière des bons évêques, le fer de lance du combat contre l'hérésie. Ses maisons essaimaient toujours: deux cents abbayes furent encore fondées au XIIIe siècle. Les Cisterciens peuplaient la cour du roi de France; ils entouraient Blanche de Castille. Le monastère le plus cher à saint Louis fut cistercien, Royaumont. Le roi s'y appliquait à suivre la règle des moines, à travailler de ses mains dans le silence. Il eût voulu que toute sa maison l'imitât. « Comme l'on faisait un mur en l'abbaye de Royaumont, le saint roi venait souvent dans cette abbaye ouïr la messe ou un autre service, ou pour visiter le lieu. Et comme les moines allaient selon la coutume de Cîteaux après l'heure de tierce au travail, pour porter les pierres et le mortier là où l'on faisait le mur, le saint roi prenait la civière et la portait chargée de pierres. Il allait devant et un moine portait derrière. En ce temps le saint roi faisait porter la civière par ses frères; il le faisait faire par d'autres chevaliers de sa compagnie, et parce que ses frères voulaient quelquefois parler, crier et jouer, le saint roi leur disait: « Les moines tiennent maintenant silence, nous le devons tenir aussi. » Comme les frères du saint roi chargeaient beaucoup leur civière et se voulaient reposer au milieu du chemin avant d'arriver au mur, il leur disait: « Les moines ne se reposent point, nous ne nous devons reposer. » Ainsi le saint roi enfermait sa maison à bien faire. » Du vivant de saint Louis, à vrai dire, Cîteaux se survivait. Ses monastères, parfaitement insérés dans les mécanismes du progrès agricole, étaient devenus beaucoup trop riches. A leur tour, on les critiquait. Il n'empêche que la mystique cistercienne marqua d'une empreinte profonde le temps des premières cathédrales.

Or, le cloître de Cîteaux se situait résolument à l'opposé de l'école épiscopale. Ses moines se dressaient contre les villes qu'ils avaient fuies, contre les clercs qu'ils jugeaient inférieurs dans l'ordre des hiérarchies spirituelles, contre l'enseignement scolastique, inutile à leurs yeux, contre Paris, nouvelle Babylone et perdition des jeunes esprits. En 1140, saint Bernard était venu lui-même à Paris à seule fin de « convertir » les écoliers, de les débaucher, de les détourner des études. Le sermon *De la conversion* qu'il composa à leur intention — et qui eut du succès — proposait, contre Babylone, le refuge, le « désert », seul chemin du salut. Les leçons des maîtres ne disposent-elles pas « un écran sans profit entre l'âme et le Christ »? A quoi bon les suivre? « Tu trouveras plus dans les forêts que dans les livres; les arbres et les rochers t'enseigneront des choses qu'aucun maître ne te dira. » Pour saint Bernard, en effet, disputer sur le texte sacré est un péché. Rien n'est plus pernicieux que la dialectique, que le raisonnement, ce vain effort pour rendre la foi intelligible. Il a combattu farouchement les professeurs, réuni à toute force un concile à Sens pour condamner la logique d'Abélard, un concile à Reims pour condamner celle de Gilbert de la Porée. Comme Pierre de la Celle, abbé de Saint-Remi de Reims, saint Bernard — que Dante choisit un moment pour guide dans son voyage spirituel — jugeait en effet que « la véritable école, celle où l'on ne paie pas son maître, celle où l'on ne discute pas », c'est celle du Christ. En vérité, Cîteaux et les cercles religieux qui subissaient son influence ne refusaient pas l'étude, la réflexion sur l'Ecriture, mais ils l'orientaient autrement, persuadés que dans l'homme le reflet de Dieu ne réside pas dans la raison mais dans l'amour: « L'intelligence, c'est l'amour même. »

Contre les artifices rationnels des philosophes modernes, jugés proprement dévoyés, un courant de pensée se développa donc, dont saint Bernard et les Cisterciens furent les entraîneurs. Il s'alimentait à la source mère du mysticisme latin, à saint Augustin. Voici pourquoi ce courant put attirer à lui les maîtres de certaines écoles capitulaires, qui ne s'étaient pas engagées aussi avant que les écoles parisiennes dans les chemins de la dialectique, et notamment les maîtres de Chartres. Ceux-ci, dès 1100, avaient ordonné leurs leçons autour des rares écrits de Platon qui leur étaient accessibles, quelques bribes du *Timée*. La pensée de Suger devait beaucoup à leur enseignement. Diffusées par Chartres, ces conceptions d'inspiration platonicienne, qui conviaient moins aux réflexions logiques qu'aux effusions du cœur, vinrent s'implanter un peu plus tard dans une autre école urbaine, à Paris même. Non pas à Notre-Dame mais dans l'abbaye de Saint-Victor, un ermitage qu'un chanoine professeur, après s'être « converti », avait fondé aux portes de la ville. Ses disciples y vivaient dans l'ascétisme; ils étaient clercs cependant et continuaient donc de remplir leur mission propre: enseigner. Mais à leurs élèves, ils montraient les voies augustiniennes de la contemplation. Sans doute les Victorins ne condamnaient-ils pas expressément l'instrument dialectique. Richard de Saint-Victor prend la défense des humanistes et des philosophes de Notre-Dame et de la montagne Sainte-Geneviève. L'âme, dit-il, doit user de toutes ses capacités, et notamment de la raison; Dieu est raison: on peut s'approcher de lui par ce biais. Ce n'est là pourtant qu'une approche; seul l'élan de l'amour permet d'accéder au degré suprême de la connaissance, à la plénitude de l'illumination. Quant à Hugues de Saint-Victor, — comme saint Augustin et comme Suger, — il proclame que chaque image sensible est signe ou « sacrement » des choses invisibles, celles que découvrira l'âme lorsqu'elle se sera dégagée de son enveloppe corporelle. Pour les conduire à cette vision, Hugues invite ses disciples, selon saint Augustin, à une progressive ascension spirituelle: qu'ils partent de la *cogitatio*, d'une exploration de la matière et du monde perceptible, sur quoi doit nécessairement s'appuyer la pensée abstraite; toutefois l'homme intérieur doit monter plus haut, parvenir à la *meditatio*, ce retour introspectif de l'âme sur soi-même, atteindre enfin à la *contemplatio* qui est intuition de vérité. Cette doctrine, Cîteaux la reprit. Et ce fut dans ses monastères, où l'on vivait dans la totale abstinence, que s'épanouirent de tels exercices d'illumination contemplative. Guillaume de Saint-Thierry, qui dialoguait en 1145 avec les Chartreux, célèbre l'amour médiateur. Cet humaniste avait trouvé affermissement, enrichissement de sa pensée dans la lecture du traité cicéronien *De l'amitié*, dans l'*Art d'aimer* d'Ovide, c'est-à-dire dans les textes mêmes qui servaient alors aux clercs des écoles de la Loire, et aux troubadours qu'ils côtoyaient dans les cours princières, à affiner la théorie d'une autre élection amoureuse, celle-ci profane: l'amour courtois. De même que le chevalier est convié à s'avancer peu à peu dans l'amour de sa dame par des prouesses successives et par la sublimation de son désir, de même Guillaume de Saint-Thierry engage ses disciples mystiques dans une procession par degrés qui du corps, siège de la vie animale, s'élève à l'âme, siège de la raison, puis à l'esprit qui les couronne, siège de l'extase amoureuse. Par le feu de l'amour, véritable intelligence de Dieu, « l'âme passe du monde des ombres et des figures à la lumière du plein midi, au jour de la grâce et de la vérité ».

De cette conception, saint Bernard, l'homme du siècle, se fit le champion passionné. Il la conduisit à son achèvement dans les collations spirituelles dont il nourrissait ses fils, les moines de Clairvaux, le soir, dans l'une des travées du cloître. Saint Bernard est écrasé par la grandeur de Dieu. Du Dieu Un. Il ne peut souffrir les dialecticiens qui mettent en question son unité, cet Abélard, ce Gilbert, qui dissocient la Trinité, et dont l'analyse rationnelle, impuissante à élever l'homme jusqu'au mystère, ne peut que rabaisser Dieu, le désagréger. Mais comment saisir l'ineffable dans sa plénitude? Pour cet ascète farouche, il existe une voie liminaire: le renoncement parfait, celui même des moines blancs. Ce n'est qu'après avoir vaincu son corps, après avoir gravi les douze degrés de l'humilité, que l'homme, ainsi purifié, peut espérer parvenir à se connaître lui-même enfin comme image de Dieu. Image fidèle et qui n'est dissemblable de la perfection divine que par le péché qui la ternit. Qu'il se laisse enlever par l'amour: « La cause qui porte à aimer Dieu, c'est Dieu. » Dans les cinq mots latins de cette formule se résume le double mouvement qui, parmi les hiérarchies de Denys l'Aréopagite, entraîne la circulation de la lumière. Saint Bernard use des métaphores lumineuses de Denys, mais il en emprunte d'autres au *Cantique des cantiques*, celles-ci nuptiales, car l'union extatique de l'âme et de Dieu est noce, union d'amour, le « baiser de l'épouse ». Accord des volontés sans confusion des substances, mais qui véritablement déifie l'âme. « Ce qu'elle éprouve est tout entier divin; être ainsi affecté c'est être déifié. » L'âme se fond dans cette union comme l'air inondé de la lumière du soleil dans cette lumière même; encore n'y parvient-elle que toute dépouillée. « Comment Dieu serait-il tout en tous s'il restait dans l'homme quelque chose de l'homme; il restera la substance, mais dans une autre forme, une autre gloire, une autre puissance. » Pour monter vers le ciel empyrée, Dante a placé sa main dans celle de saint Bernard.

La pensée de saint Bernard si proche de la théologie dionysienne devait susciter un art qui s'accordât à l'art de Suger. Sauf sur un point toutefois, capital: elle ne pouvait admettre son faste. L'art du cloître cistercien et de l'église qui le flanque est fait d'abord de dépouillement. Il refuse toute parure. Il porte ainsi condamnation de Saint-Denis, que saint Bernard lui-même invective: « Sans parler de l'immense élévation de vos oratoires, de leur longueur démesurée, de leur largeur excessive, de leurs somptueuses décorations et de leurs peintures qui excitent la curiosité, dont l'effet est de détourner sur elles l'attention des fidèles et de diminuer le recueillement, qui rappellent en quelque sorte les rites des juifs, — car je veux bien croire qu'on ne se propose en tout cela que la gloire de Dieu, — je me contenterai, en m'adressant à des religieux comme moi, de leur tenir le même langage qu'un païen faisait entendre à des païens comme lui. A quoi bon, disait-il, ô pontife, cet or dans le sanctuaire? A quoi bon, vous dirais-je aussi, en ne changeant que le vers et non la pensée du poète, à quoi bon, chez des pauvres comme vous, si toutefois vous êtes de vrais pauvres, tout cet or qui brille dans vos sanctuaires? On expose la statue d'un saint ou d'une sainte et on la croit d'autant plus sainte qu'elle est plus chargée de couleurs. Alors on fait foule pour la baiser, et en même temps on est pressé de laisser une offrande; c'est à la beauté de l'objet plus qu'à sa sainteté que s'adressent tous ces respects. On suspend aussi dans les églises des roues plutôt que des couronnes, chargées de perles, entourées de lampes, incrustées de pierres précieuses d'un éclat plus éclatant encore que celui des lampes. En guise de candélabres, on voit de vrais arbres d'airain travaillés avec un art admirable et qui n'éblouissent pas moins par l'éclat des pierreries que par celui des cierges dont ils sont chargés. O vanité des vanités, mais folie encore plus que vanité! L'église scintille de tous côtés, mais les pauvres sont dans le dénuement; ses pierres sont couvertes de dorures et ses enfants sont privés de vêtements; les amateurs trouvent à l'église de quoi satisfaire leur curiosité, et les pauvres n'y trouvent point de quoi sustenter leur misère. »

Un tel esprit de renoncement bannit tout ornement de l'église. Plus d'images. Aussitôt que saint Bernard prit de l'influence dans l'Ordre, les moines blancs cessèrent d'illustrer leurs livres, et l'admirable atelier de peintures des premiers temps mourut d'un seul coup. C'en fut fait également de la monumentale démonstration de vérité, du décor sculpté que les monastères de Cluny avaient dressé à leur portail. Car l'abbaye cistercienne n'a point de façade, ni même de porte: elle se referme sur soi. Elle est nue, elle est simple. « Que ceux à qui le soin de l'intérieur fait mépriser et négliger tout ce qui est au-dehors élèvent pour leur usage des édifices selon la forme de la pauvreté, d'après le modèle de la sainte simplicité et sur les lignes tracées par la retenue de leurs pères » (Guillaume de Saint-Thierry). Par sa seule structure, par les rythmes dépouillés de sa construction, par sa disposition symbolique, l'édifice ecclésial, pierre angulaire, image du Christ, doit conduire l'esprit vers les hauteurs mystiques. La lumière du jour décrit dans son cadre immobile les cercles du mouvement cosmique et trace les chemins de la contemplation. « Ce n'est point en changeant de lieu qu'il faut s'approcher, mais par des clartés successives », dit saint Bernard, « et qui ne sont pas corporelles mais spirituelles. Que l'âme cherche la lumière en suivant la lumière ». Le monument, par son volume, traduit la discrétion propre à la règle de saint Benoît. Nulle tension verticale, nul orgueil, un équilibre accordé aux mesures de l'univers. De même que dans ses attitudes intellectuelles, Cîteaux, dans sa conception des masses architecturales et des rapports qui les unissent, prolonge la tradition bénédictine et bâtit des églises trapues comme l'étaient les églises romanes du sud de la Gaule.

Son art rejoint pourtant Saint-Denis et les premières cathédrales sur deux points, et d'abord par la signification donnée à la lumière. Des baies s'ouvrent largement, ornées de vitraux qui sont des grisailles non figuratives, mais qui laissent amplement pénétrer le jour. Pour cet évidement du mur, l'église cistercienne adopte les procédés français de construction, la croisée d'ogives. L'Ordre de Cîteaux, né dans l'est du royaume, d'abord établi en Bourgogne et en Champagne, mais dont les abbayes filles se répandirent bientôt d'un bout à l'autre de la chrétienté latine, contribua puissamment de la sorte à diffuser, dans l'ensemble du monde chrétien, l'art de France, l'*opus francigenum*. Il en avança les modèles jusqu'au cœur du Midi rétif, à Poblet en Catalogne, à Fossanova dans l'Italie centrale. Saint Bernard d'autre part fut le chantre de la Vierge; il voyait en elle l'épouse du *Cantique*, la médiatrice des noces; il fit de l'art cistercien un art marial comme celui des cathédrales.

Suger avait introduit Marie dans son système de concordances iconographiques: la mère de Dieu coopérait à l'incarnation. Encore n'occupait-elle à Saint-Denis qu'une place mineure. Alors que, dans les cathédrales du pays de France, qui toutes étaient dédiées à Notre Dame, on s'était mis à dresser, au cœur de la décoration monumentale, des représentations de la maternité divine, qui captaient désormais la dévotion des foules. Dans la posture des idoles dorées de l'Auvergne romane, ces images sculptées ne parlaient pas encore de tendresse, mais bien de souveraineté et de victoire. La Vierge Mère efface les fautes de la femme; elle fait fuir les démons, les désirs troubles, les songes impurs; elle les rachète. Vers elle se portèrent naturellement les effusions mystiques de tous ces hommes qui s'efforçaient à la chasteté, des chanoines à qui l'on tentait d'imposer le célibat, et, bien sûr, des moines de Cîteaux.

Majestueusement, la Vierge fait irruption dans la piété du XIIe siècle, entourée de toute une escorte de saintes: pécheresse, espoir des prostituées, sainte Madeleine triomphe à Vézelay et en Provence. Or, au moment même où s'amorçait la déviation du christianisme vers des valeurs féminines, on commençait d'exalter la femme dans les cours chevaleresques des pays de la Loire et du Poitou. Des chants célébraient les attraits de l'épouse du seigneur, de la Dame, et tous les jeunes nobles s'essayaient à gagner son cœur; les démarches de courtoisie devenaient dans les assemblées mondaines l'un des jeux les plus excitants. Le culte de la Vierge et le culte de la Dame procèdent de mouvements distincts, développés au profond des mentalités et dont l'histoire n'entrevoit encore qu'à peine le moteur. Mais ils se répondent. Un fait du moins apparaît en pleine clarté: les échos passionnés qui, pour la première fois en Occident, retentissent dans la correspondance d'Héloïse, les poèmes latins que l'abbé Baudry de Bourgueil dédiait aux princesses angevines, les chansons composées par Cercamont et par Marcabru pour les chambres des dames d'Aquitaine, tous les romans construits sur les thèmes antiques, sur l'histoire d'Enée ou sur celle de Troie, premiers récits dont les aventures ne fussent point seulement militaires mais amoureuses, rejoignent Guillaume de Saint-Thierry et tout ce qu'il introduisait d'Ovide dans son *De natura amoris*. Mêmes sources humanistes, même vocabulaire, même suite d'épreuves, mêmes désirs, même espérance d'union. Toute une floraison littéraire, profane aussi bien que sacrée, environne la statuaire de Chartres et répond au lyrisme marial de saint Bernard. La France de ce temps découvre l'amour — l'amour courtois en même temps que l'amour de Marie. Ambiguïté. Sublimer l'érotisme charnel, capter ces courants de sensibilité, les détourner vers les liturgies de l'Eglise, telle fut la tâche des prélats, et celle, avant tout, des moines. Pierre le Vénérable, abbé de Cluny, introduisait ainsi vers 1140, au sein des formes traditionnelles de la prière chantée, les séquences de la Nativité. Dans le brasillement des luminaires et dans les fumées de l'encens, les incantations latines instituaient alors comme le cérémonial d'un sacre: celui de la Mère de Dieu.

« Je te salue Vierge Marie, qui a mis le mal en déroute, épouse du Très-Haut et mère de l'Agneau le plus doux. Tu règnes dans les cieux, tu sauves la terre; les hommes soupirent vers toi et les démons mauvais te redoutent. Tu es la fenêtre, la porte et le voile, la cour et la maison, le temple, la terre, lys par ta virginité et rose par ton martyre. Tu es le jardin clos, la fontaine du jardin qui lave ceux qui sont souillés, purifie ceux qui sont corrompus et rend vie à ceux qui sont morts. Tu es la maîtresse des âges, l'espoir, après Dieu, de tous les siècles, le pavillon de repos du roi et le siège de la divinité. Tu es l'étoile qui brille à l'orient et dissipe à l'occident les ténèbres, l'aurore qui annonce le soleil et le jour qui ignore la nuit. Toi qui as engendré Celui qui nous engendre, confiante comme une mère qui a bien rempli sa tâche, réconcilie l'homme avec Dieu. Prie, mère, le Dieu que tu as mis en ce monde, qu'il nous absolve et, après nous avoir pardonnés, nous confère la grâce et la gloire. Amen. » Les hautes liturgies bénédictines offrent de la Vierge mère l'image de majesté dont s'inspira l'art des cathédrales. Car, pour les prêtres qui en conçurent le décor, Noël célébrait, au plus haut des cieux, dans le chœur des anges, l'avènement du Roi du Monde. Il établissait donc la femme qui l'avait enfanté dans les puissances de l'esprit. Ce fut la gerbe des noms symboliques qu'avait composée l'abbé Pierre le Vénérable qui fournit son vocabulaire à la première iconographie mariale, avec d'autres métaphores — le buisson, l'arche, la tige fleurie, la chambre nuptiale, la toison — tirées du *Cantique des cantiques*. Dans la prière que Dante lui fait prononcer au *Paradis* (XXXIII, 1/10), saint Bernard use de symboles équivalents. Il loue lui aussi une souveraine:

> « Vierge mère, fille de ton Fils,
> Humble et haute plus qu'autre créature,
> Terme fixé de l'éternel conseil,
> Tu es celle qui as tant ennobli
> L'humaine nature que son Créateur
> Ne dédaigna pas de se faire sa créature.
> Dans ton ventre se rallume l'amour
> Par la chaleur duquel, dans l'éternelle paix,
> A germé cette fleur.
> Ici tu es pour nous le flambeau de midi
> De la charité, et, en bas, parmi les mortels,
> Tu es l'espérance, la fontaine vivace. »

Au nom de cette reine, saint Bernard, qui défiait les professeurs, défia les chevaliers des cours princières. Il voulut eux aussi les convertir et les ramener dans la voie véritable. Il avait inspiré la règle d'un nouvel Ordre religieux, le Temple, congrégation de guerriers « convertis », devenus moines mais en restant chevaliers, *nova militia* dont les preux tournaient leurs armes contre les ennemis du Christ et leur amour vers Notre Dame. Saint Bernard avait appelé tous les guerriers de France à suivre leur roi dans une nouvelle croisade afin que leur turbulence se rangeât sous l'étendard de Dieu. Dans le même esprit, il s'efforça d'incliner dans les chemins du mysticisme tous les sentiments fraîchement éclos que célébraient la jeune littérature chevaleresque, les chansons d'amour et les romans. Il n'échoua pas tout à fait. Sous son impulsion, une part de la poésie courtoise s'engagea dans une conversion dont les enchantements forestiers de la *Queste du saint Graal* marquèrent vers 1200 l'aboutissement, et que le romancier Chrétien de Troyes avait un peu plus tôt traduite dans son œuvre: alors que ses premiers héros pratiquaient encore une religion toute rituelle, Perceval, dont il entreprit avant 1190 de raconter les exploits, incarne un christianisme de prières, d'adoration, d'amour du Dieu sauveur, un christianisme de pénitence, et sa vertu majeure est pureté. Après saint Bernard, le jeune noble de France aborde la cérémonie de l'adoubement, les vieux rites d'initiation guerrière, comme un sacrement véritable. Il y vient au milieu des prêtres; il s'y prépare par une nuit de prières passée dans l'oratoire; un bain, nouveau baptême, le lave de ses souillures; il va pénétrer dans un Ordre dont les membres pratiquent les vertus du Christ, ou devraient du moins les pratiquer. En vérité cependant, le succès cistercien fut partiel et de surface. L'élan de joie profane que portait en elle la chevalerie, ses espoirs de conquête, son goût du luxe et des jouissances, ne se laissaient pas vaincre si facilement.

Cîteaux d'ailleurs, en 1190, s'enfonçait dans le siècle. On racontait partout que, cachées dans leurs forêts, ses abbayes regorgeaient d'opulence — ce qui était vrai. Les moines blancs possédaient maintenant leurs dîmes, leurs tenanciers, leurs serfs. Ils vivaient, comme tous les seigneurs, du travail des autres. Ils sortaient de plus en plus nombreux de leur désert: on les voyait trop. Saint Bernard s'était indigné qu'on voulût l'élire archevêque, mais Eugène III avait quitté le cloître pour s'établir sur le trône de saint Pierre. A l'approche du XIIIe siècle, beaucoup de frères l'avaient imité. Ils portaient la mitre; à leur tour ils construisaient des cathédrales; ils avaient étudié, et l'Ordre fondait bientôt à Paris une filiale ouverte sur les écoles. Le clergé de Toulouse choisissait pour évêque l'abbé du Thoronet, monastère cistercien. C'était Folquet de Marseille, un ancien troubadour, et la nouvelle église épiscopale allait s'élever bientôt sur le modèle de celles d'Ile-de-France. Mais à ce moment même, la chrétienté se trouvait devant un fait d'évidence. Cîteaux avait tout à fait échoué dans le dernier combat où l'Ordre s'était acharné: extirper l'hérésie du Midi.

L'ESPACE MONASTIQUE

Au XIIe siècle, et pendant tout le XIIIe encore, en dépit du succès que connurent les Ordres mendiants et les modèles nouveaux de vie religieuse que ceux-ci propageaient, quitter le monde, s'enfermer dans un cloître, y mener en communauté une vie de renoncement et de prières, demeura pour beaucoup d'hommes la voie de la véritable perfection. Où pouvait-on conquérir son salut, gagner aussi celui des autres, attirer sur eux la bienveillance divine, sinon dans des refuges protégés des corruptions du monde? Lieux de retraite, organes de rédemption collective, qui faisaient rayonner le pardon divin sur tous leurs bienfaiteurs, les monastères bénédictins ne cessèrent point d'attirer les conversions, les aumônes, la dévotion du peuple qui croyait toujours aux forces magiques contenues dans les reliquaires. En outre, dans tout le sud de l'Occident, la réforme du XIe siècle était parvenue à resserrer le clergé de la cathédrale dans une étroite communauté d'allure monastique. L'existence de ces innombrables fraternités repliées sur elles-mêmes s'organisait autour du cloître.

Complètement enfermé par les bâtiments collectifs, — l'église, la salle de réunion, le réfectoire et le dortoir, — le cloître est le cœur d'un univers clos. Un îlot de nature libre séparé du monde mauvais qui l'entoure, un lieu où l'air, le soleil, les arbres, les oiseaux, les eaux courantes, ont la fraîcheur et la pureté des premiers jours du monde; il établit une sorte de paradis retrouvé où la création, lavée de ses souillures, porte clair témoignage de Dieu. Au sein de la demeure communautaire, cet espace préservé, vacant, le seul qui ne soit pas affecté à des fonctions déterminées, est l'endroit propice à l'approfondissement des mystères de Dieu; on y médite, on y avance vers la connaissance. Le chef de la communauté y réunit ses fils pour le sermon qui le soir les enseigne. Ici prennent place les exercices proprement scolaires, la lecture, la lente rumination des textes. C'est pourquoi les chapiteaux sont décorés de figures symboliques, propres à guider de degré en degré la marche vers la vérité. Partout, le cloître est paré — de sculptures dans les régions de forte tradition romaine, d'inscrustations colorées dans le Sud italien qu'imprègne l'esthétique orientale, de tous les raffinements de l'élégance gothique au Mont Saint-Michel, tout ouvert sur les mouvements du ciel et sur les reflets de la mer.

Mais le cloître cistercien est nu. L'Ordre a rejeté tout ornement, répudié les inventions décoratives qui, sur les pages de ses premières Bibles, avait répandu des merveilles d'élégance et de fantaisie. Dans ces asiles d'austérité totale, le cloître, comme l'église, parle aussi de la beauté de Dieu et de la parfaite ordonnance du monde, mais par la seule harmonie de ses volumes, par le jeu régulier de la lumière solaire qui selon les mouvements du jour et la succession des saisons varie ses parcours au travers des arcatures.

LE CLOÎTRE DE SAINT-TROPHIME A ARLES - FIN DU XIIe SIÈCLE.

LE CLOÎTRE DE L'ABBAYE DU THORONET (FONDÉE EN 1146).

INTÉRIEUR DE LA NEF DE L'ABBAYE DE FOSSANOVA AU SUD DE ROME - 1163-1208.

INTÉRIEUR DE LA NEF DE L'ABBAYE DE SILVACANE (BOUCHES-DU-RHÔNE), FONDÉE EN 1147.

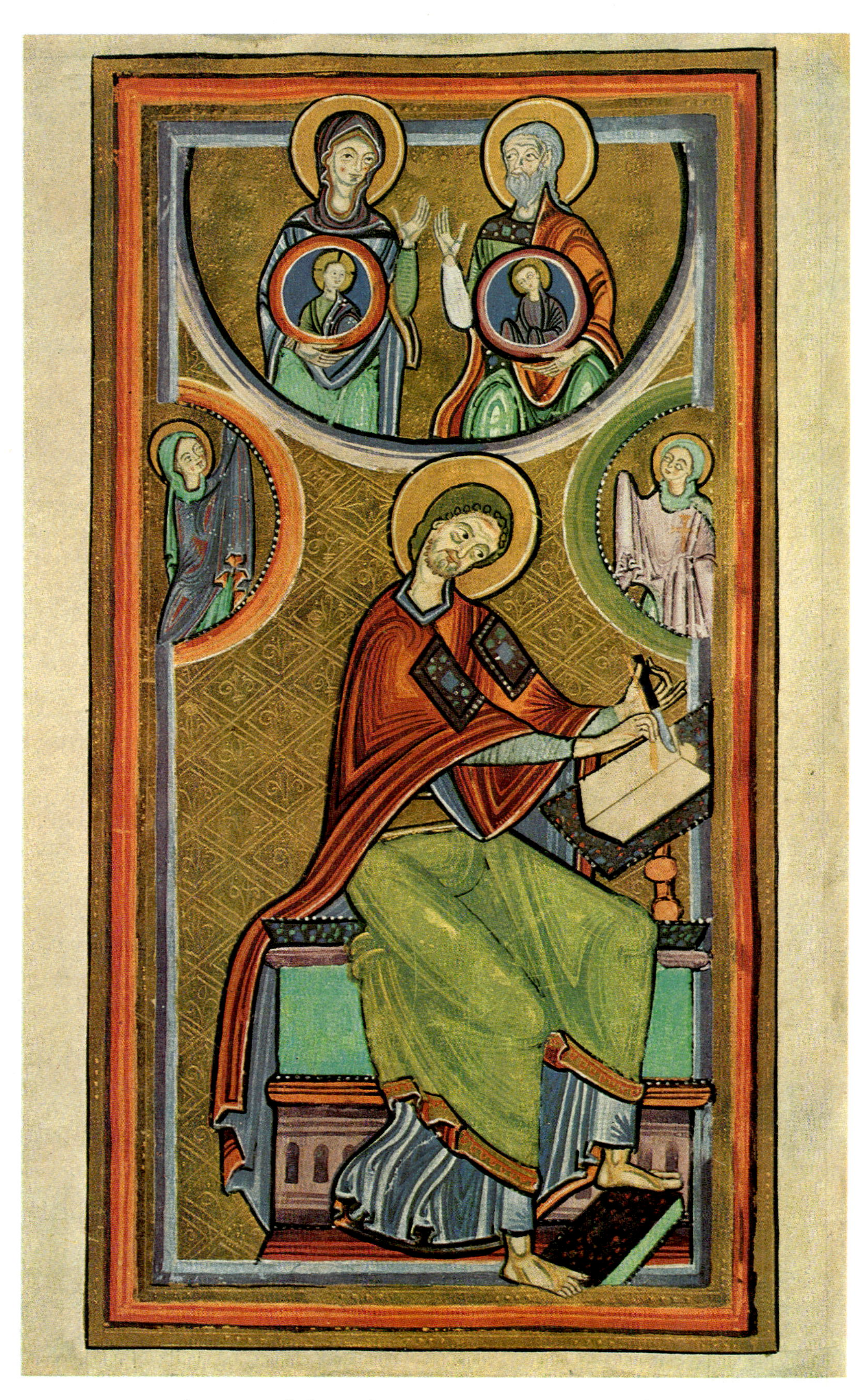

ÉVANGILES D'HÉNIN-LIÉTARD: SAINT MATTHIEU - XIIe SIÈCLE.
BOULOGNE-SUR-MER, BIBLIOTHÈQUE MUNICIPALE, MS. 14, I, FOLIO 22 VERSO.

SACRAMENTAIRE DE SAINT-AMAND : CRUCIFIXION - DEUXIÈME MOITIÉ DU XIIe SIÈCLE.
VALENCIENNES, BIBLIOTHÈQUE MUNICIPALE, MS. 108, FOLIO 58 VERSO.

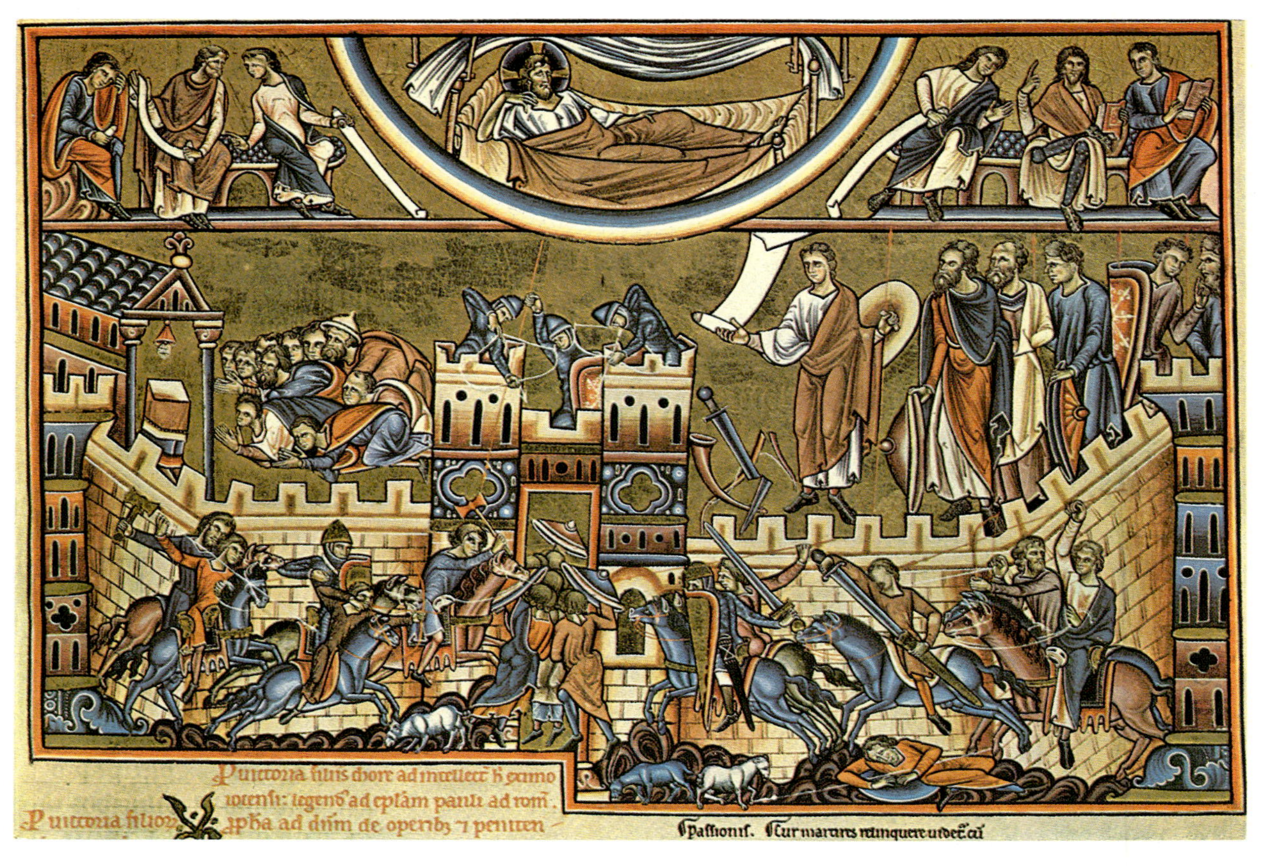

PSAUTIER D'UTRECHT (COPIE) : ILLUSTRATION DU PSAUME XLIII - FIN DU XIIe SIÈCLE (?).
PARIS, BIBLIOTHÈQUE NATIONALE, MS. LAT. 8846, FOLIO 76.

PSAUTIER D'EADWIN, MOINE-PEINTRE DE CANTERBURY - ILLUSTRATION DU PSAUME XLIII - VERS 1150.
CAMBRIDGE, BIBLIOTHÈQUE DU TRINITY COLLEGE, R. 17.1.

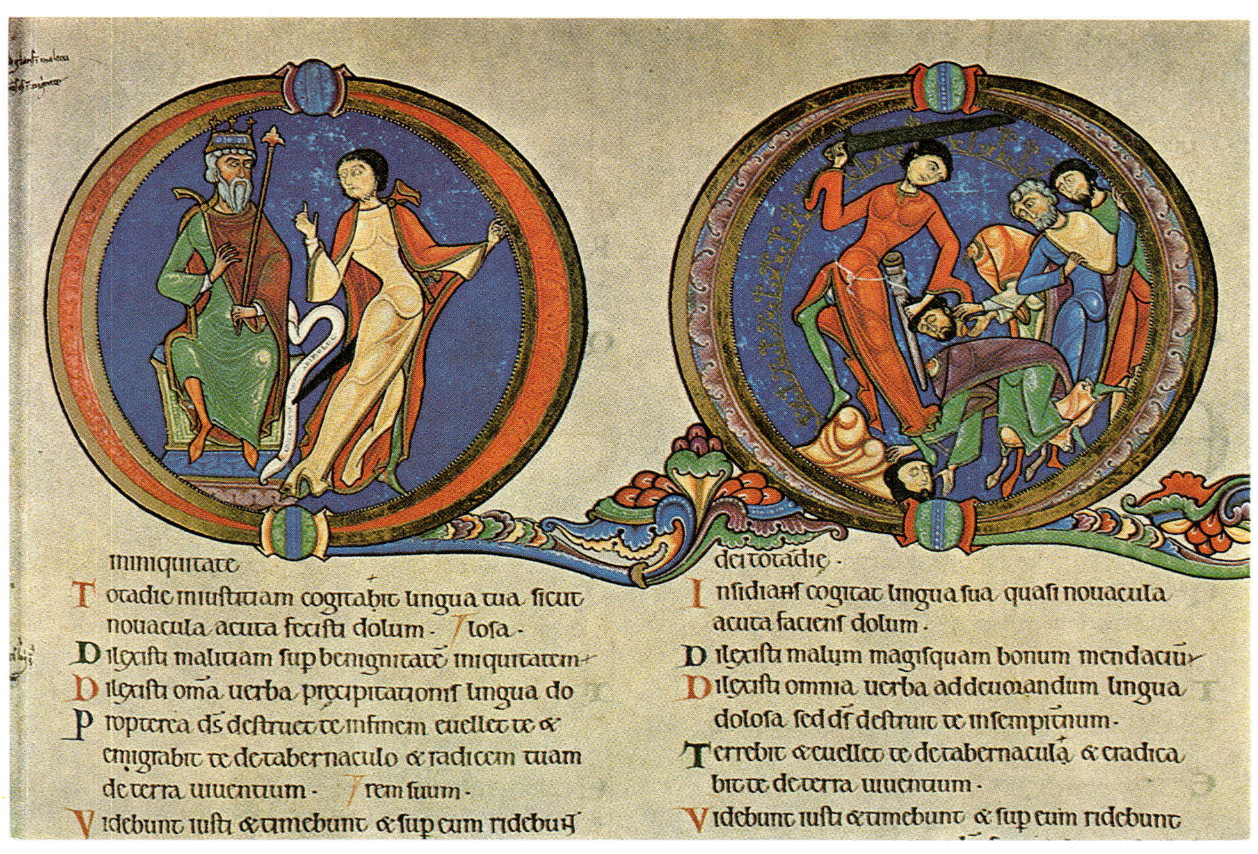

iniquitate
Totadie iniustitiam cogitabit lingua tua sicut
nouacula acuta fecisti dolum
Dilexisti malitiam sup benignitate iniquitatem
Dilexisti oma uerba precipitationis lingua do
Propterea ds destruet te in finem euellet te &
emigrabit te de tabernaculo & radicem tuam
de terra uiuentium
Videbunt iusti & timebunt & sup eum ridebunt
dei tota die
Insidians cogitat lingua sua quasi nouacula
acuta faciens dolum
Dilexisti malum magis quam bonum mendaciu
Dilexisti omnia uerba addeuorandum lingua
dolosa sed ds destruit te in sempiternum
Terrebit & euellet te de tabernaculo & eradica
bit te de terra uiuentium
Videbunt iusti & timebunt & sup eum ridebunt

BIBLE DE HENRY DE BLOIS: DOEG TUANT LES PRÊTRES (VOL. III, FOLIO 16 RECTO) - SECONDE MOITIÉ DU XIIe SIÈCLE.
WINCHESTER, BIBLIOTHÈQUE DE LA CATHÉDRALE.

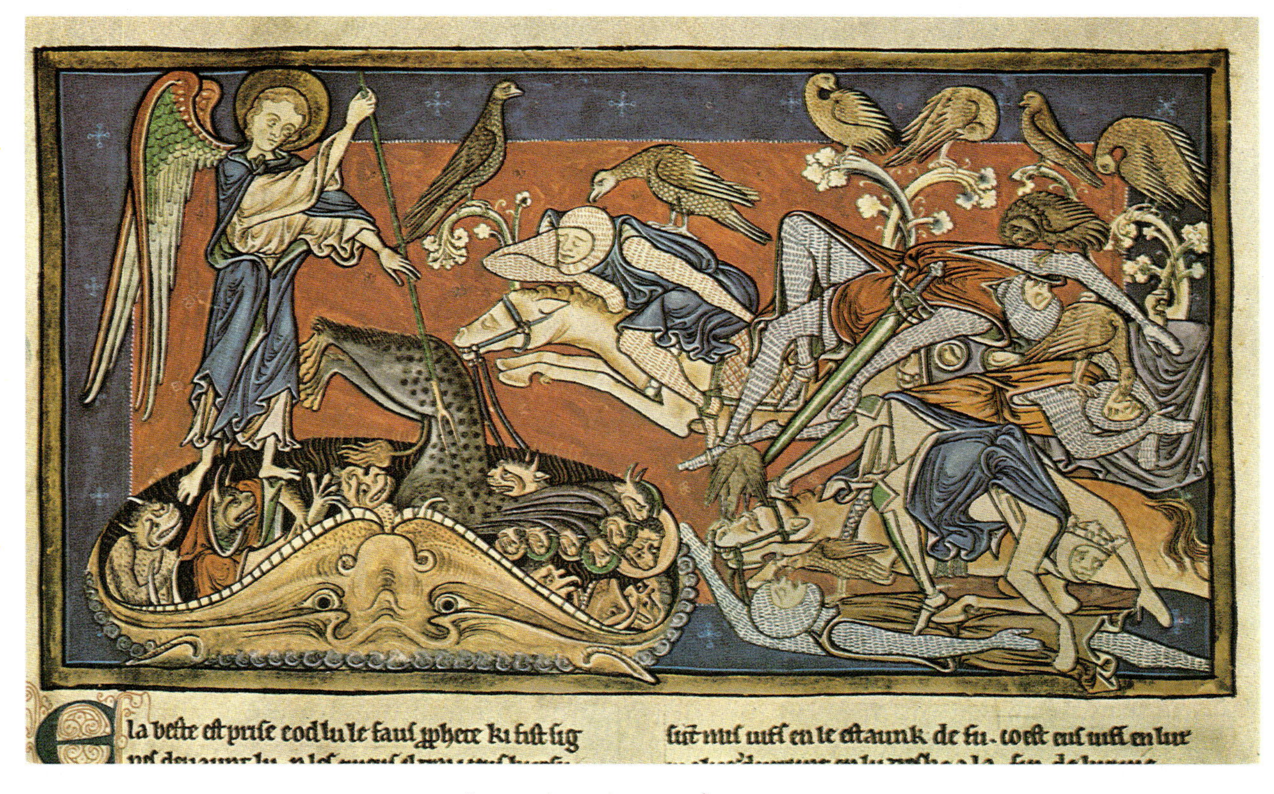

APOCALYPSE: LE DRAGON A SEPT TÊTES PRÉCIPITÉ DANS L'ENFER - ABBAYE DE SAINT-ALBANS, VERS 1230.
CAMBRIDGE, BIBLIOTHÈQUE DU TRINITY COLLEGE.

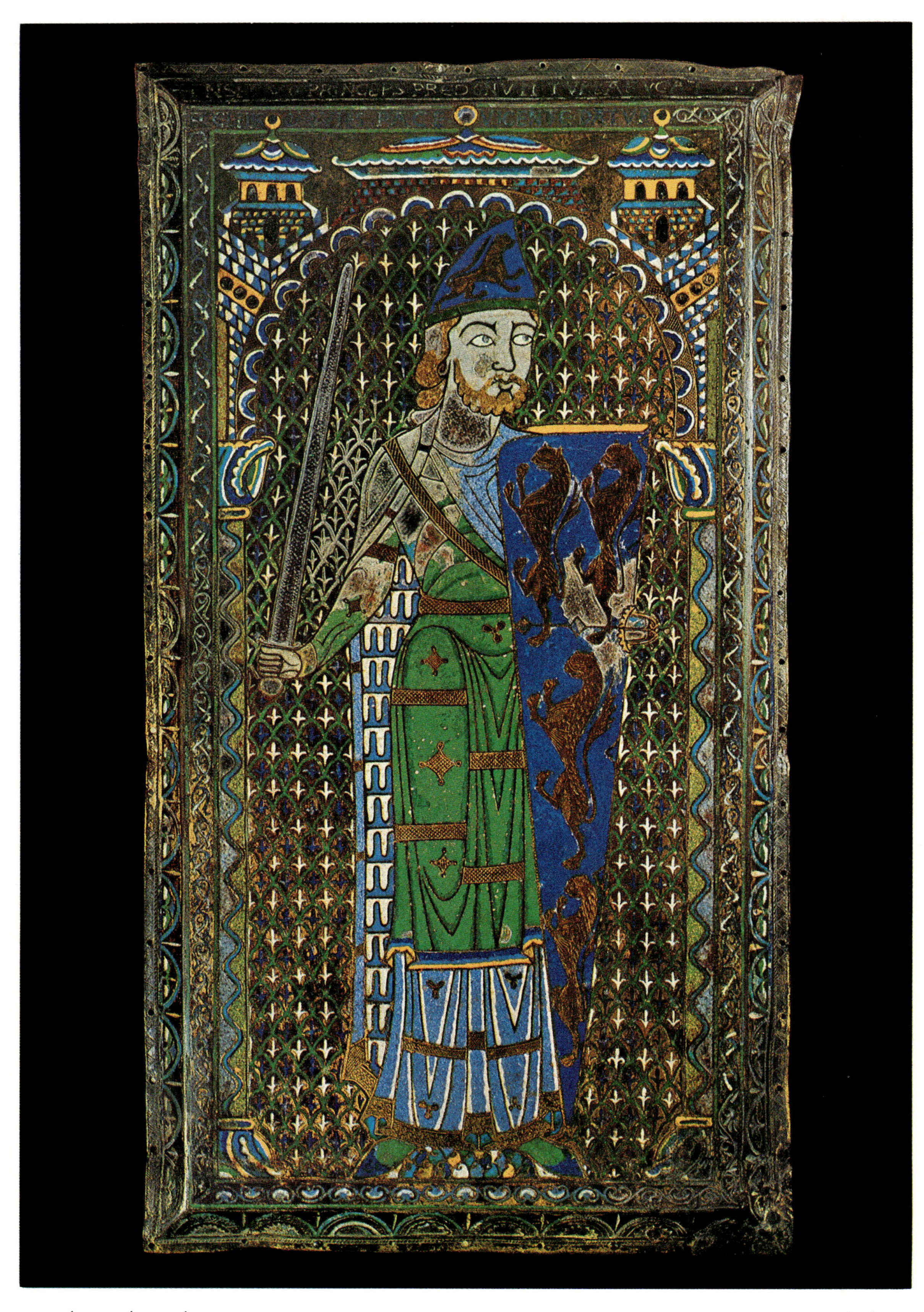

PLAQUE FUNÉRAIRE ÉMAILLÉE, QUI PROVIENDRAIT DU TOMBEAU DE GEOFFROY IV LE BEL, DIT GEOFFROY PLANTAGENÊT (1113-1151), A LA CATHÉDRALE DU MANS - XIIe SIÈCLE. LE MANS, MUSÉE DE TESSÉ.

L'EMPIRE

Au XIIe siècle, les gens d'Eglise, les chevaliers, les marchands, les paysans mêmes circulent plus aisément dans la chrétienté, et ces voyages, ces rencontres, ces échanges font peu à peu sortir de leur repliement les diverses provinces d'Europe. Celle-ci cependant demeure fortement cloisonnée. Si l'on rêvait de dresser pour cette époque une carte de la culture — tâche impossible en vérité tant l'information est lacunaire — il faudrait imaginer un réseau confus de frontières enchevêtrées, isolant ici des zones de retrait et de farouche résistance, délimitant partout les innombrables facettes des particularismes régionaux. Parmi toutes ces limites indécises et mêlées, on percevrait cependant une ligne maîtresse de partage, qui répond d'ailleurs au clivage politique le plus profondément senti à cette époque par les hommes capables de réflexion. Du nord au sud, elle sépare le Royaume — c'est-à-dire la France, et tout le versant ouest de la chrétienté latine — de ce qui demeure l'Empire : l'Allemagne, l'Italie et les royaumes satellites, Rome et la Germanie, politiquement réunies depuis le Xe siècle sous une même domination et par un même destin.

En ce temps, le roi d'Allemagne a vocation de devenir empereur romain. Lorsque Frédéric Barberousse entreprend de porter à sa plénitude la dignité impériale, il se montre en souverain à Besançon, en Arles, dans les pays lombards et toscans, et c'est en héritier de Charlemagne qu'il s'y présente. Voilà qui peut rendre compte de la puissance dans ces régions des traditions artistiques carolingiennes, de la fidélité qui s'y attache et qui fait écran aux séductions de l'art royal, de l'art français. D'autant que l'art des empereurs, celui des descendants de Charlemagne comme celui des Ottoniens, se situait véritablement dans la filiation de l'art antique. En Allemagne, en Lombardie, en Toscane, à Rome, les églises neuves gardent donc les proportions des basiliques romaines. A l'intérieur, même système d'éclairage, même ordonnance d'arcatures, même couverture plafonnée ; des fresques et, sous l'arc triomphal, souvent, l'image de la Crucifixion, symbole du triomphe de l'Eglise. Leur façade est presque toujours très sobre. La richesse nouvelle des cités toscanes, venue de la mer, des aventures commerciales et de la fabrication des objets de grand luxe imités des parures orientales, fit qu'on les décora. Des hommes qui aimaient à montrer leur jeune opulence voulurent même les surcharger d'ornements. La polychromie, l'exubérance des sculptures flattaient leur goût de paraître. Sur les façades des églises de Lucques, sur le rideau brodé qu'elles tendent vers le couchant, ces alignements de colonnades, ces frontons se relient cependant eux-mêmes à l'art impérial, à l'art de Ravenne et de Rome.

FAÇADE DE L'ÉGLISE SAINT-MICHEL A LUCQUES (COMMENCÉE VERS 1210).

FAÇADE DE LA CATHÉDRALE DE BAMBERG, FONDÉE PAR HENRI II - 1004-1012 (RESTAURÉE VERS 1081 ET EN 1185).

INTÉRIEUR DE LA CHAPELLE DE TOUS-LES-SAINTS, RATISBONNE - XIIe SIÈCLE.

MOSAÏQUES

L'art de France au XIIIe siècle força l'entrée de l'Italie. Les agents de cette intrusion furent la papauté, qui voyait dans l'esthétique de l'Université la plus efficace figuration de la théologie catholique, et les ordres religieux qui la servaient, les Cisterciens d'abord, puis les Mendiants. Mais l'influence française demeura contenue entre d'étroites limites, car elle butait contre deux assises de culture, deux couches épaisses déposées successivement au cours des âges par la Rome impériale et par Byzance.

Les invasions germaniques avaient balayé tout l'espace italien, refoulant les traditions figuratives et l'humanisme de la plastique romaine, imposant un art de bijoutiers et de graveurs, les monstres et la géométrie barbare des plaques de ceinture. Toutefois, une bonne part de l'Italie ne s'était jamais laissée dompter, ni intégrer dans l'empire de Charlemagne. Le Latium n'en fut jamais qu'une frange protégée ; Venise et tout le sud lui échappèrent. Ces régions restèrent unies à l'Orient par la mer, par des liens que le recul de la piraterie barbaresque resserrait depuis le Xe siècle. Voici pourquoi, lorsque s'ouvrit à Paris le chantier de Notre-Dame, les doges de Venise disposaient encore à Saint-Marc un décor grec, tout comme les rois normands de Sicile sur les murs de leurs palais, de leurs oratoires et des cathédrales voisines.

L'église byzantine est l'habitacle du divin. Elle n'orne pas ses façades. Tout l'effort esthétique se concentre dans l'espace interne que le scintillement des mosaïques, dans la pénombre, a mission de transfigurer, lui imprimant les signes de l'Invisible et le parant des splendeurs idéales de la Jérusalem céleste. Les mosaïques de Palerme et de Monreale, celles de la Vénétie — comme celles qui vinrent encore, en 1250, revêtir le baptistère de Florence et le monastère des Quatre Couronnés à Rome — ont pris au Dugento le parti de narrer, à l'exemple des inflexions nouvelles qui marquaient l'iconographie orientale. Elles racontent l'Evangile et les anecdotes des apocryphes. Toutefois, les progrès de l'esprit logique tendent à modifier le ton du récit ; ils incitent à inscrire les personnages de l'Enfance et de la Passion dans des compositions rigoureuses, dans un espace ordonné et dans une suite de scènes strictement délimitées par un cadre.

LA NATIVITÉ - MOSAÏQUE - 1140-1143. PALERME, LA MARTORANA (ÉGLISE SANTA MARIA DELL'AMMIRAGLIO).

ENTRÉE DU CHRIST A JÉRUSALEM - MOSAÏQUE DU SANCTUAIRE - 1143. PALERME, CHAPELLE PALATINE.

LE CHRIST PANTOCRATOR, LA VIERGE ET L'ENFANT ENTOURÉS D'ANGES, D'APÔTRES ET DE SAINTS - MOSAÏQUE DE L'ABSIDE CENTRALE. XIIe-XIIIe SIÈCLE. CATHÉDRALE DE MONREALE (SICILE).

LA VIERGE ET LES APÔTRES, DÉTAIL - MOSAÏQUE DE L'ABSIDE - XIIe-XIIIe SIÈCLE. TORCELLO, CATHÉDRALE NOTRE-DAME.

2

LES RÉSISTANCES ROMANES

Multiples sont les assises de la résistance au gothique, mais les plus solides s'appuyent sur les traditions monastiques. Jusque dans le premier quart du XIIIe siècle, le monastère conserve en effet une position centrale dans les structures culturelles de l'Occident, et le triomphe de Cîteaux est bien loin d'éclipser l'ancien style bénédictin, qui avait établi ses moines seigneurs dans les sommets de la hiérarchie sociale et qui leur assignait comme fonction première de s'appliquer de jour en jour, d'heure en heure, avec les moyens les plus splendides, à la célébration de la gloire de Dieu par l'office liturgique. En Angleterre, qu'avaient jadis christianisée des fils de saint Benoît, le monastère reste étroitement associé à la cathédrale. Il demeure dans toutes les provinces allemandes et sur les confins slaves, comme aux temps carolingiens, la pierre angulaire de l'édifice ecclésiastique. Mais la région où il reste le plus fermement installé est celle où Cluny naguère avait construit son empire: la Bourgogne, tout le sud de la Gaule, la Catalogne et la frange de chrétienté qui depuis le chemin de Saint-Jacques s'était étendue sur l'Espagne.

Ces abbayes, ces prieurés, reliés les uns aux autres par un réseau de filiations et de confraternités, vivaient dans une très large aisance. Parfaitement situés dans l'ordre féodal, riches en terres, en troupes serviles, levant les redevances et les taxes, maîtres de la justice et du pouvoir d'exploitation dans d'innombrables villages prospères, ils formaient avec les grands chapitres cathédraux la partie noble de l'Eglise. Les seigneurs vieillissant s'y retiraient volontiers pour y finir des jours paisibles en se préparant à la mort. Ils faisaient entrer dans ces asiles de confort ceux de leurs fils qui leur paraissaient moins doués pour les armes, afin qu'ils prient pour le lignage sans déchoir de la position dominante, oisive et fortunée, où Dieu avait situé les hommes de bonne race. L'aristocratie laïque disputait constamment leurs droits à ces grands établissements dont la puissance seigneuriale envahissante leur faisait concurrence. Elle les harcelait de querelles, de chicanes, rechignant à leur laisser sans partage les terres et les paysans dont chaque maison de la noblesse, de génération en génération, leur faisait don en aumône funéraire. Elle disputait âprement, elle obtenait partage ou dédommagement — mais elle ne ménageait pas pour autant ses faveurs au monastère. La plupart des chevaliers tenaient en effet des fiefs de l'abbé ou du prieur; ils lui avaient fait hommage; ils lui devaient fidélité; ils se réunissaient périodiquement autour de lui dans les cours vassaliques. Tous, enfin, entouraient de vénération ce lieu de prières qui remplissait pour eux des fonctions religieuses majeures: leurs aïeux y avaient élu sépulture; eux-mêmes un jour iraient reposer près d'eux; leur nom s'inscrirait sur son nécrologe. Le culte des morts déployait dans son église les cérémonies d'anniversaire qui assuraient aux défunts les grâces indispensables pour atteindre au bonheur surnaturel. Enfin le peuple tout entier vénérait les reliques qu'il abritait, que l'on allait visiter aux grandes fêtes, que l'on promenait solennellement dans les campagnes pour leur donner fertilité et dont le contact pouvait guérir des maux terrestres. Les communautés monastiques étaient des organismes de rachat collectif dont dépendait le salut de toute une province. Partout, et plus fortement dans le sud de l'Europe, les laïques confiaient aux psalmodies des moines leur espoir de ressusciter dans la lumière.

Dans le monde illettré qui les environnait, tous les monastères demeuraient également des îlots de culture savante où l'on conservait, où l'on lisait, où l'on copiait des livres. Cependant cette culture se trouvait engoncée dans des cadres anciens et tendait à cette époque à s'y renfermer plus étroitement. La musique avant tout l'exprimait. Les modulations du chant choral, qui soutenait la prière ininterrompue de la communauté, inclinaient les activités de l'esprit à se contenir dans un jeu clos d'harmonies et de concordances. Ici la pensée n'était point tendue en droite ligne dans un élan de conquête, elle s'enroulait sur des rythmes circulaires, ceux de la liturgie, dont le cycle s'accordait à celui des saisons. Ainsi, comme les campagnes face au dynamisme urbain, la culture monastique face à celle des écoles épiscopales de Neustrie apparaît au XIIe siècle figée dans ses traditions.

Lieu des purifications collectives qui préparent l'homme à affronter le Jugement, les abbayes et les prieurés résident par fonction dans une espérance eschatologique, ils attendent le retour proche du Christ glorieux. Voici pourquoi les visions de l'Apocalypse occupent encore tant de place dans l'iconographie de leurs églises, et le *Commentaire de Beatus* dans leurs bibliothèques. Ces sanctuaires prémunissent contre l'écroulement du monde, contre le grand désordre prémonitoire qui annoncera l'imminence de la Fin des temps. Ils montrent donc l'image des cavaliers destructeurs qui surgiront de l'horizon, porteurs du fléau de Dieu. Sur un chapiteau de Saint-Nectaire, l'ange exterminateur, qui les résume, tient dans sa main les trois flèches, les trois calamités qui accablent ce monde paysan: la guerre, la famine et la peste. L'art monastique s'ordonne autour d'une image, celle du Fils de l'homme, qu'entoure de ses rayons la lumière de l'au-delà. Sur la façade d'Angoulême, on voit un Christ séparé des hommes; il n'appartient plus à la terre; il monte vers le ciel; il en descend, mais dans la gloire pour signifier que le temps est mort et que le nouveau royaume s'établit à tout jamais dans les splendeurs immatérielles.

Dans son interrogation du mystère, la pensée monacale apparaît de la sorte prisonnière de visions. Elle se meut dans l'imaginaire. La sculpture monumentale qu'elle inspire poursuit donc, comme l'enluminure, dans la voie du fantastique. Elle puise nombre de ses thèmes dans les mythes des *Bestiaires*. Elle les développe dans une symbolique si raffinée qu'elle est pour nous, comme elle l'était au temps de sa création pour le commun des hommes, indéchiffrable. Que signifient les combats d'hommes et d'animaux disposés au porche de Saint-Pierre de Spolète? Où trouver la clé du décor ésotérique que les moines irlandais, venus au XIIe siècle s'établir à Ratisbonne, ont installé de part et d'autre de l'entrée de leur église?

LES RÉSISTANCES ROMANES

1. L'ange exterminateur, détail d'un chapiteau de l'église de Saint-Nectaire (Puy-de-Dôme) – XIIe siècle.

2. Le Christ en Majesté, détail de la frise du portail à l'église de San Pedro de Moarbes (Palencia) – XIIe siècle.

3. La Trinité, détail du portail de l'église Santo Domingo du couvent des Clarisses à Soria – XIIIe siècle.

4. L'église Notre-Dame-la-Grande à Poitiers, façade ouest – XIe-XIIe siècle.

5. Eglise Saint-Pierre à Spolète: détails des bas-reliefs de la façade – XIIe siècle.

6. Coupole de la collégiale Santa Maria la Mayor à Toro (Zamora), commencée en 1160.

7. Portail de l'église des Ecossais à Ratisbonne – XIIe siècle.

1

2

3

4

5

5

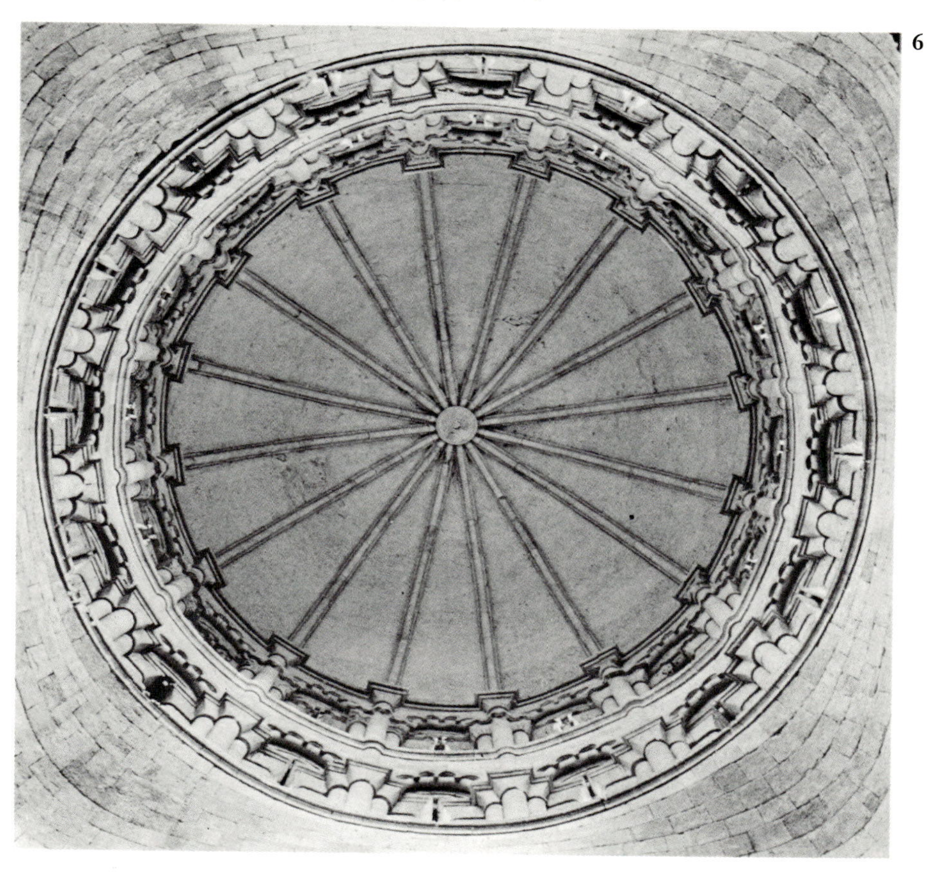

6

7

II

L'ÂGE DE RAISON

1190-1250

LA RÉPRESSION CATHOLIQUE

Aux approches de l'an 1200, l'Église romaine est une place assiégée. De toutes les forces hostiles qui l'environnent, qui ont enlevé déjà ses bastions et qui sapent ses dernières défenses, les plus ardentes et les plus visibles viennent de l'hérésie. Celle-ci cependant n'est pas seule à conduire l'attaque. D'autres menaces, plus insidieuses, naissent des progrès même du savoir, qui stimulent les audaces au sein de l'école, à Paris, et y suscitent des déviations inquiétantes. A force de raisonner sur l'œuvre de Denys, sur les mystères de la Trinité et de la Création, Amaury de Bène en vient à penser et à enseigner que « tout est un, puisque ce qui est, est Dieu », que par conséquent chaque homme est un membre de Dieu, et donc qu'il échappe au péché: ne suffit-il pas à l'homme de connaître que Dieu est en lui pour vivre dans la joie et dans la liberté? Une telle doctrine allait à la rencontre de l'optimisme et des envolées lyriques de la chevalerie — ce qui faisait sa force — mais elle impliquait aussi l'inutilité du sacerdoce — ce qui la rendait pernicieuse aux yeux des dirigeants de l'Eglise. Dans le même temps, les maîtres parisiens découvraient peu à peu dans son ampleur la philosophie païenne d'Aristote. Le pape avait envoyé certains d'entre eux à Constantinople en 1205 à la source de la pensée grecque, tandis qu'à Tolède les équipes des traducteurs, qui avaient enfin livré dans son ensemble le système logique de l'*Organon,* dévoilaient maintenant le contenu de la *Physique,* puis de la *Métaphysique* du Philosophe. Aux yeux des penseurs sacrés se révélait de la sorte un admirable corps de démonstrations qui fournissait de tout l'univers une explication rationnelle et cohérente, mais qui toutefois se fondait sur des prémisses foncièrement irréductibles à l'enseignement de l'Ecriture sainte. Ces hommes, qui devaient affermir l'armature du dogme afin que reculât l'hérésie, allaient-ils se laisser détourner eux-mêmes de la vraie croyance par les séductions de ces livres? Les incertitudes, les premiers égarements se produisaient en plein élan de prospérité, dans une poussée d'enrichissement qui commençait, insensiblement, à déranger les assises sociales. Etablies sur un idéal monastique de repli, construites jadis pour une société rurale et stagnante de paysans et de guerriers sauvages, les structures de l'Eglise, de toute évidence, ne s'adaptaient plus au monde présent et aux mouvements qui l'entraînaient. Il était urgent de les rajeunir, de reconquérir l'unité. L'Eglise se raidit, prit décidément forme monarchique, totalitaire, autour du siège de saint Pierre et d'un pape, Innocent III.

Depuis plus d'un siècle, le pontife romain étendait sa puissance. Il avait affronté les empereurs avec succès; les juristes de la Curie avaient forgé à son usage une doctrine théocratique qui lui réservait en ce monde une *auctoritas* supérieure à toute puissance temporelle. Il prétendait détenir juridiction morale sur la terre entière; il envoyait partout ses légats; il rêvait de soumettre à sa loi les évêques. Elu pape en 1198, à trente-huit ans, Innocent III conduisit à son terme ce long effort. Ce noble Romain était un intellectuel: il avait étudié le droit à Bologne — style italien — puis la théologie à Paris — style neustrien. Il fut le premier pape à se dire avec clarté non pas seulement successeur de saint Pierre, mais en vérité lieutenant du Christ. Roi des rois donc. *Rex regum,* surmontant les princes et les jugeant. Le jour de son couronnement il proclama: « C'est à moi que Jésus a dit: je te donnerai les clés du royaume des cieux et tout ce que tu lieras sur la terre sera lié dans le ciel. Voyez donc ce qu'est ce serviteur qui commande à toute la famille: c'est le vicaire de Jésus-Christ, le successeur de Pierre. Il tient le milieu entre Dieu et l'homme, moins grand que Dieu, plus grand que l'homme. » Le pape s'efforce alors d'introduire tous les souverains de l'Europe dans un réseau de soumissions féodales qui aboutit à sa personne. Il y parvient presque. Fort de ses succès, il réunit à la fin de son règne un concile au Latran qui devait jouer, dans la chrétienté médiévale et devant des problèmes comparables, le rôle du concile de Trente dans la chrétienté moderne. Au programme:

« Eliminer l'hérésie et fortifier la foi — mais aussi réformer les mœurs, extirper les vices, planter les vertus, conjurer les excès. Et encore apaiser les discordes, établir la paix, répudier la tyrannie, et faire prévaloir partout la vérité. »

Réaction: l'Eglise se rassemble, elle se fortifie, elle expulse les corps étrangers. Un précédent concile avait en 1179 enjoint d'enfermer dans les léproseries, à l'écart du peuple de Dieu qu'ils viciaient, tous les êtres impurs, rongés de maladies purulentes, et les insensés, possédés du démon. Sur la même voie, le concile d'Innocent III impose aux juifs la rouelle, une marque distinctive, un signe d'exclusion. Puis l'Eglise attaque. Au profit de l'unité catholique, la croisade est détournée de son premier but, lancée contre les schismatiques — en 1204, l'armée croisée prend Constantinople — mais surtout contre les hérétiques, qui sont le danger majeur: en 1209, le pape promet aux chevaliers d'Ile-de-France les indulgences de la Terre sainte, il les convie à piller le Languedoc, à exterminer les Albigeois. Encore faut-il ajouter que, dans cette lutte et dans son effort farouche pour s'établir partout en maîtresse, l'Eglise romaine avait cessé de compter désormais sur les moines.

Les vieux Ordres monastiques étaient en effet discrédités. On s'en gaussait à la fin des ripailles chevaleresques. Les poèmes didactiques composés dans leur langue pour les nobles de France au seuil du XIIIe siècle sont pleins de critiques à l'égard des Bénédictins et des Chartreux, ils leur reprochent de se retirer à l'écart et d'y vivre trop riches: « ce sont des vrais marchands en foire ». De fait, ce que l'on condamnait en eux, c'était une religion de refus et d'égoïsme satisfait. Les chevaliers-moines du Temple et de l'Hôpital conservaient plus de faveur. Eux, du moins, combattaient au sein du monde, exaltaient l'idéal de vaillance et de conquête de la morale courtoise, et projetaient l'image d'un christianisme d'action. Toutefois les mouvements de spiritualité qui suscitaient en ce temps la naissance de congrégations nouvelles engageaient à une vie religieuse qui ne fût plus fondée sur le bruissement des épées et les joutes cavalières, mais sur l'amour de Dieu et des hommes. Imitation de Jésus dans son souci des pauvres, tel fut le style nouveau de l'Ordre du Saint-Esprit voué aux soins des malades, de l'Ordre des Trinitaires voué au rachat des captifs. Ils apportaient réponse à l'évangélisme diffus parmi le peuple laïque; eux seuls pouvaient affronter avec l'espoir de quelque succès les sectes hérétiques. Innocent III le sentait bien qui, lui-même, parvint à réintégrer dans l'Eglise une part du valdisme et des sectes de pauvreté hétérodoxes: il accueillit les Pauvres catholiques, les Humiliés; il encouragea la pénitence laïque. Mais il appartenait de conduire la marche des temps nouveaux à deux apôtres, aux deux « princes » que la Providence, pour rapprocher l'Eglise du Christ son époux, avait « ... ordonnés en sa faveur / afin qu'ici et là / ils lui servissent de guides » (*Paradis* XI, 35/36), François d'Assise et Dominique.

En 1205, les cavaliers parisiens ne galopaient pas encore dans le Languedoc pour y massacrer au nom du Christ les hérétiques avec les autres. Le pape Innocent III vit venir à lui l'évêque d'Osma en Espagne, que le sous-prieur de son chapitre, Dominique, accompagnait. Ils avaient traversé en venant à Rome les domaines du catharisme triomphant, rencontré dans Montpellier les légats cisterciens, des hommes découragés. Les raisons de la défaite catholique leur étaient clairement apparues: un clergé sans morale et trop riche. Ils dirent au pape que « pour fermer la bouche des méchants il importait d'agir et d'enseigner selon l'exemple du Bon Maître, de se présenter dans l'humilité, d'aller à pied, sans or et sans argent, bref d'imiter en tout la forme de vie apostolique ». Cet évêque, ce chanoine proposaient de renoncer au faste seigneurial où vivaient tous les prélats d'Occident depuis Charlemagne, aux chevauchées, aux parures, aux insignes de la puissance temporelle. Ils voulurent repartir vers les pays de dissidence en témoins du Christ, véritablement évangéliques, donc tout à fait pauvres. Le pape les bénit, les encouragea: ils reparurent en Narbonnaise. A Pamiers, à Lavaur, à Fanjeaux, ils affrontèrent publiquement les Parfaits, mais cette fois chacun pouvait voir que les tenants de l'Eglise de Rome étaient, comme leurs adversaires, sans richesse, sans femme, sans armes, sans rien. Joutes d'éloquence: Dominique et ses compagnons étaient des clercs, des intellectuels; l'hérésie avait vaincu les gens du cloître, les gens de l'école entraient en lice; ils préparaient à l'avance leurs arguments dans des mémoires écrits; ils venaient cette fois combattre le catharisme sur le terrain dogmatique, démontrer qu'il avait tort par des raisons de théologie; ils les exposaient dans la langue occitane, qu'ils parlaient; de ce tournoi, un auditoire de seigneurs et de bourgeois désignait les vainqueurs. Dominique resta seul. C'est alors qu'il fonda à Prouille un monastère, mais pour des femmes, rival des conventicules où les dames du pays se retiraient dans l'ascétisme de la perfection cathare. Il lui donna la règle de saint Augustin, toute de pauvreté. On ne sait pas très bien ce qu'il fit dans les tourbillons sanglants de la croisade, du moins reprit-il ensuite l'œuvre de prédication. Le nouvel évêque de Toulouse le prit à ses côtés avec son groupe de disciples, dans cette région que les bandes de Simon de Montfort avaient ravagée, où le catholicisme s'installait par la force, comme une tyrannie, sur des décombres et dans la résistance muette d'un peuple décimé, opprimé, hostile. La petite communauté de prêcheurs s'efforça de combattre, de conquérir cette fois les esprits et se voua à la reconstruction spirituelle. On vit Dominique au concile du Latran. Les pères, qui luttaient ici même contre le pullulement des sectes, se méfiaient des congrégations nouvelles. Dominique vainquit leurs réticences. Du moins l'obligèrent-ils à ne pas inventer sa propre règle, à choisir une règle ancienne. Il prit celle qu'il avait donnée aux sœurs de Prouille, la règle des chanoines augustiniens. Mais sur elle, par petites retouches décisives, il innova, fondant l'Ordre des Prêcheurs et ses constitutions.

Au cœur de la vocation dominicaine s'établit la pauvreté totale. Non pas celle de Cîteaux, factice: celle du Christ. La richesse corrompait le monde moderne: il fallait sur ce terrain placer la pointe du combat. Au chapitre XXVI — « Du refus de propriété » — ce précepte fondamental: « Nous ne recevrons d'aucune façon propriété ni revenu. » Dans une société où la terre ne constituait plus la seule richesse s'établissait une congrégation religieuse qui, pour la première fois, ne s'enracinait pas sur une possession foncière, qui décidait de ne plus tirer de ses propres champs sa subsistance, mais de mendier son pain de porte en porte. Le dominicain n'a rien qui lui appartienne, sinon des livres. Mais ce sont là ses outils. Il a pour mission de répandre la vraie doctrine, de lutter pied à pied contre les démons de l'incroyance, des adversaires subtils que seules les lumières de l'Esprit peuvent terrasser. Il lui faut, par conséquent, s'entraîner, former son intelligence, s'armer de raison, lire, étudier. Or on n'étudie bien qu'en équipe, les maîtres des écoles l'avaient démontré. Le dominicain vit donc en communauté, comme les chanoines cathédraux, comme les moines bénédictins. Non pas toutefois, comme ceux-ci, pour chanter en chœur, à toutes les heures du jour, les louanges du Seigneur. Pour lui, le cadre liturgique s'assouplit, se simplifie; les frères se libèrent vivement des oraisons rituelles, au moment le plus opportun, sans trop de souci des heures prescrites. Ils ne sont plus esclaves des rythmes cosmiques qui pendant des siècles avaient régi, dans la stabilité des temps révolus, les longues psalmodies monastiques. La vocation du Frère prêcheur l'engage en effet dans les aléas de l'action: le combat ne peut attendre. L'ennemi ne se rencontre pas dans la solitude, dans le désert, ni même dans les champs: il est posté parmi les hommes. C'est-à-dire, au sein de ce monde nouveau, où la campagne n'est plus seule à compter, c'est dans la ville qu'il faut l'affronter. Le couvent dominicain par conséquent s'installe au cœur des masses urbaines qu'il a pour mission d'éclairer.

Mais le couvent diffère encore du cloître en ce que la vie des religieux ne s'y renferme pas. Ce n'est qu'un abri où les frères, leur tâche accomplie, reviennent dormir et partager la nourriture quêtée dans les faubourgs. Cependant, comme le cloître des cathédrales, le couvent dominicain s'affirme également — et c'est bien sa fonction principale — comme un chantier de travail intellectuel, comme une école. Dans chacun d'eux, un lecteur expose et commente l'Ecriture. Les constitutions imposent à chaque religieux de détenir, écrits de sa main, une Bible, le *Livre des Sentences* de Pierre Lombard où la science théologique se concentre, et l'*Histoire* de Pierre le Mangeur où puiser les thèmes concrets de la prédication. Il ne s'agit point en vérité de livres pesants et ornés, comme ceux que l'on tirait des bibliothèques monastiques pour la célébration de l'office ou pour les méditations patientes. Ce sont de vrais manuels, toujours prêts, que le Frère prêcheur porte avec lui dans sa besace pour, au besoin, s'y référer, car il en possède déjà la matière dans l'esprit. « Ils ne doivent point prendre pour base de leurs études les écrits des païens et des philosophes — à moins qu'ils ne les consultent en passant. Qu'ils n'apprennent point les sciences séculières ni même les arts dits libéraux — à moins qu'à l'occasion le maître de l'Ordre ou le chapitre général n'en veuillent disposer autrement à l'égard de certains. Le supérieur peut accorder telle dispense aux étudiants qu'on ne puisse facilement ni interrompre leurs études ni les gêner pour des questions d'office ni d'autre chose. » Ce qui compte dans ce passage des constitutions de l'Ordre, ce qui marque l'innovation décisive, l'intention centrale, et ce qui engage l'avenir, ce ne sont point en vérité les interdictions, formelles et de tradition, mais précisément les dispenses, toutes ces portes ouvertes à la recherche intellectuelle, prudente certes, mais aussi vigoureuse et hardie. Puisque les frères sont appelés à militer dans le combat doctrinal, il leur convient de s'y présenter bien armés, donc d'être experts dans la dialectique, c'est-à-dire dans une « science séculière », et d'avoir étudié les démonstrations rationnelles dans Aristote, à la fois philosophe et païen. En fait, l'Ordre nouveau s'établit au centre des structures scolaires de l'époque. Dans toutes les grosses villes vouées à l'étude, à Montpellier, à Bologne, à Oxford, et d'abord à Paris, rue Saint-Jacques, les couvents dominicains vinrent s'insérer dans le corps de la recherche théologique. Ils en devinrent bientôt le foyer le plus rayonnant.

L'Ordre des Prêcheurs issu d'un chapitre cathédral s'en était détaché pour mieux adapter aux nécessités modernes les missions enseignantes de la cathédrale, pour les mettre au service de la monarchie romaine et sous son contrôle. L'Ordre des Franciscains émanait, lui, directement du laïcat des villes et de ses frustrations spirituelles. Fils d'un homme d'affaires enrichi, né dans une commune qui se donnait un podestat cathare, François d'Assise, pendant sa jeunesse, s'était livré aux joies de la courtoisie. Il composait des chansons d'amour; il s'engagea dans l'aventure chevaleresque. Puis les inquiétudes qui travaillaient alors les bourgeoisies méridionales le touchèrent. Non point le catharisme: le Christ en croix lui parlait. Et lorsque, réitérant le geste de Pierre Valdo, il voulut se dépouiller de tout, lorsqu'il se présenta nu devant son père, lui jetant aux pieds ses parures et ses deniers, ce fut l'évêque de la cité qui le couvrit de son manteau. Il demeura dans l'Eglise, fidèle. Lui aussi mendiant. Il ne cessa pas de chanter, mais il se fit le jongleur de Dieu; il continua, à la mode des troubadours, de servir une maîtresse: ce fut Dame Pauvreté. Il prêchait la pénitence, en même temps que la beauté du monde, frère Soleil et toutes les étoiles. Des jeunes gens, ses amis, le suivirent. Il lança ses disciples sur les grandes routes, comme Jésus avait fait des siens, vêtus d'un sac et les mains vides. Qu'ils aillent vivre parmi les pauvres, s'embaucher dans les fermes et dans les ateliers, et que le soir ils chantent à leurs compagnons la joie parfaite que procure l'humilité. Et s'il arrivait qu'ils ne trouvassent pas de salaire, qu'ils aillent quêter leur pain: Dieu ne les laisserait pas mourir.

En 1209, le pape Innocent III, occupé à ramener à lui les sectes de pauvreté, autorisa la prédication de François, approuva sa règle très simple, faite de quelques fragments de l'Evangile. Aussitôt les Frères mineurs se répandirent dans toutes les cités: les premiers arrivèrent à Paris en 1219. Mal vus d'abord: on prenait ces mendiants passionnés pour des hérétiques; ils durent exhiber des lettres pontificales. Mais en 1233, on en trouvait établis dans toutes les villes de la France du Nord. A cette époque, dans les milieux aristocratiques, la condition des épouses et des filles commençait à se relever. Les femmes formaient maintenant au sein du peuple fidèle un groupe dont les aspirations spirituelles méritaient attention. Une dame noble d'Assise, Claire, fonda une communauté de sœurs à l'imitation des petits frères de son ami François; bientôt s'organisa un tiers-ordre proposant, à ceux qui ne voulaient pas rompre avec le siècle, des formules de vie apostolique appropriées à leur état. François lui-même s'acheminait plus avant dans la fraternité de Jésus. Il en vint à s'identifier à Lui si parfaitement que, « dans la flamme de son amour », il reçut sur son corps les stigmates de la Passion. Les foules le vénéraient comme un saint; dans les villes de Toscane, on voyait en lui le modèle d'une perfection nouvelle, accordée au désir d'humilité de la jeune société urbaine, à ses efforts de dépouillement, d'action charitable, de lyrisme joyeux, d'effusions sentimentales. François ne combattait pas l'hérésie par l'épée ni par la raison, mais par un élan du cœur, et par la vie qu'il menait. Il rendait mieux qu'aucun autre l'Evangile présent en ce monde, dans sa simplicité. Cet homme fut bien, avec le Christ, le grand héros de l'histoire chrétienne, et l'on peut dire sans excès que ce qui reste aujourd'hui de christianisme vivant parmi nous vient directement de lui.

Il n'était pas prêtre et ne se soucia pas de le devenir, non plus que ses premiers disciples. Mais il n'attaquait pas les prêtres. Il voulait seulement aider, en parlant au peuple, ces hommes qui, chaque jour, consacraient l'hostie. Contre les Cathares, contre les Vaudois, contre tous ceux qui refusaient le sacerdoce, l'Eglise romaine exaltait alors en effet l'Eucharistie. Le concile du Latran fixait le dogme de la Transsubstantiation. On sculptait des représentations de la Cène aux portails des églises, à Beaucaire, à Saint-Gilles, à Modène, dans les villes que contaminait l'hérésie: Jésus y tendait la bouchée de pain à Judas lui-même. François, serviteur du clergé, lutta pour la défense des prêtres. « Si la bienheureuse Vierge Marie est tellement honorée — et c'est justice — parce qu'elle a porté le Christ dans son sein très béni, si le Baptiste bienheureux a tremblé violemment et n'osa pas toucher la tête sacrée de son Dieu, si le sépulcre, dans lequel le corps du Christ fut couché pour quelque temps, est entouré de vénération, combien doit-il être saint, juste et digne, celui qui traite de ses mains, prend de cœur et de bouche, donne aux autres en nourriture le Christ Jésus. » Et dans son testament spirituel, François poursuit: « Quand j'aurais autant de sagesse que Salomon, si je trouvais de pauvres prêtres vivant selon le monde, je ne veux pas contre leur volonté prêcher dans les paroisses où ils demeurent. Ces mêmes prêtres et tous les autres, je veux les craindre, les aimer, les honorer comme mes maîtres. Et je ne veux pas faire attention à leurs péchés, parce que je discerne en eux le Fils de Dieu, et qu'ils sont mes maîtres. Voici pourquoi j'en use de la sorte: c'est qu'en ce monde, je ne vois rien de sensible du même Fils du Dieu Très-Haut que Son très saint corps et Son très saint sang, que les prêtres eux-mêmes consacrent et qu'eux seuls administrent aux autres. Et ces très saints mystères, je veux par-dessus tout les honorer et les vénérer, et les placer dans des lieux précieusement ornés. » Humble auxiliaire de la fonction sacerdotale, et révérente, la prédication franciscaine fut au départ naïve: elle proposait un exemple et non des arguments logiques. Pour cela, singulièrement efficiente. Les cardinaux voulurent pourtant la discipliner, la renforcer: l'urgence à l'époque était moins de chanter l'amour de Dieu et des créatures que de détruire les déviations doctrinales, de rectifier la foi du peuple, bref de construire rationnellement le dogme; les chantres inspirés et les fous du Christ étaient donc moins utiles au pape que des logiciens et des docteurs. Malgré saint François et toute une part de ses disciples, le Saint-Siège plia l'Ordre des Frères mineurs à se transformer en une milice de prêtres et d'intellectuels, sur le modèle de l'Ordre des Prêcheurs. On fixa les Franciscains dans les couvents, on les détourna du vagabondage lyrique qui d'abord avait conduit leur marche parmi les douceurs de la campagne ombrienne. On leur donna des livres, des professeurs. Pour eux s'établirent des *studia* dans Paris et dans les autres centres scolaires. Dès 1225, ils constituaient, aux ordres du pape, une seconde armée du savoir. Ils avaient pris place, au sein des villes à conquérir, dans le système clérical de la répression catholique.

Car Innocent III avait voulu que celle-ci reposât désormais sur le réseau des paroisses où les prêtres, aidés par les brigades mobiles des Frères mendiants, eussent le moyen de tenir les fidèles en surveillance. Contre l'hérésie, un strict quadrillage s'établit sur toute la chrétienté. Dans les campagnes de France, ce fut au XIIIe siècle que les communautés d'habitants prirent corps dans le cadre paroissial; on se mit à désigner chaque paysan comme étant « paroissien » de tel lieu; il lui fut interdit d'aller recevoir les sacrements dans une autre église; on essaya de l'astreindre à des pratiques régulières: le concile du Latran recommandait à tous les laïques de communier, de se confesser une fois l'an; le curé dut pouvoir repérer ceux qui cherchaient à se dérober, dépister ainsi les hérétiques clandestins, et chasser plus efficacement les sorcières. Prospère, fort d'un pouvoir qui lui soumettait ses ouailles, le curé du village devint ce tyranneau que moquent les contes plaisants, le *Roman de Renart* et les recueils de fabliaux. De semblables cellules se construisirent dans les quartiers neufs des villes. Sur l'ensemble du diocèse, l'évêque présidait à cet encadrement.

L'évêque reçut deux missions précises. De police antihérétique d'abord. Son tribunal ordinaire, l'officialité, jugeait sur plainte les manquements courants à la discipline ecclésiastique. On institua parallèlement une procédure d'exception, l'inquisition. Enquête, cette fois: l'évêque prenait l'initiative des recherches sans attendre les accusations. Fixées par le concile du Latran, les règles de cette juridiction d'urgence furent appliquées bientôt dans le Midi de la France. Les suspects, que dénonçait la rumeur publique, poursuivis, appréhendés, étaient interrogés devant témoins; on s'employait à hâter leur aveu. S'ils s'obstinaient dans leur erreur, ils étaient livrés au bras séculier pour être brûlés par le feu purificateur; sinon l'inquisiteur leur imposait une pénitence, le pèlerinage parfois, plus souvent le « mur », la prison perpétuelle. Telle était l'une des fonctions épiscopales, répressive. Le pasteur devait abattre les brebis galeuses, purger le peuple chrétien, déjà isolé des lépreux et des juifs, de tous les germes nocifs qui l'empoisonnaient. L'évêque allumait les bûchers. Encore devait-il éclairer les âmes de la bonne lumière. Cette seconde mission se situait dans la tradition: faire connaître le dogme, répandre la vérité; que le prélat enseignât lui-même, que du moins il favorisât l'activité scolaire dans la cité.

Monarchie centralisée, l'Eglise romaine confia cependant directement au pape la direction des plus grands centres d'études, des ateliers de théologie, où le dogme recevait son armature. Ils constituèrent désormais un rouage essentiel au sein d'une religion qui, pour se défendre, cherchait à s'intellectualiser. Les principaux foyers de la recherche s'organisèrent en corps plus cohérents, les « universités », qui furent soustraites au pouvoir de l'évêque, mais que Rome s'efforça de tenir en sa main. Depuis longtemps, maîtres et étudiants se groupaient en corporations, constituées comme celles des métiers urbains; ils visaient par là à s'émanciper; ils luttaient ensemble pour s'affranchir des tracasseries du seigneur et de la tutelle du chapitre. A Paris, ce syndicat avait gagné, contre le roi et Notre-Dame, des libertés substantielles. Innocent III reconnut officiellement l'association, et son légat donna ses statuts à l'*universitas magistrum et scolarium parisientium*: c'était pour la mieux dominer et pour l'associer plus étroitement à l'œuvre pontificale. Aussitôt s'exerça sur elle un strict contrôle. La doctrine d'Amaury de Bène fut condamnée; on brûla dix universitaires qui s'acharnaient encore à la propager. On expulsa de l'enseignement les lectures pernicieuses: il fut interdit aux maîtres parisiens de faire connaître à leurs élèves la philosophie nouvelle d'Aristote, sa métaphysique et le commentaire d'Avicenne. On jugea enfin que les Ordres mendiants pouvaient fournir des professeurs plus sûrs: ils furent introduits dans l'université; soutenus par le pape, ils s'installèrent dans les chaires majeures de la théologie.

Par le même mouvement, l'action intellectuelle se concentra sur la réflexion logique. Plus de vains soucis esthétiques, plus de curiosités inutiles. Paris devint dans le premier XIIIe siècle une immense machine à raisonner droit. Dans la faculté préparatoire des arts, où les futurs théologiens recevaient leur formation, la dialectique envahit tout. La « leçon », le contact direct avec les auteurs, recula devant la « dispute », l'exercice formel de discussion, propre à affermir les esprits pour le combat doctrinal; le commentaire des textes céda peu à peu le pas aux jeux purs du syllogisme. La grammaire cessa d'introduire aux belles-lettres, elle prit l'allure d'une linguistique structurale; elle spécula sur la logique verbale et s'appliqua à analyser les modes d'expression en fonction des mécanismes que le raisonnement impose au langage. A quoi pouvait servir Ovide ou Virgile? A quoi bon chercher dans les lettres une source de délectation, puisque les mots n'étaient plus que les outils précis d'une argumentation démonstrative? Cette évolution fit s'étioler rapidement les élans d'humanisme et comprima les poussées de ferveur qui, pendant tout le XIIe siècle, portaient les gens des écoles et les moines cisterciens eux-mêmes à révérer les poètes classiques et à les prendre pour modèles. La pensée scolastique se dépouilla de tout ornement, glissa peu à peu vers les dessèchements du formalisme. Du moins poussa-t-elle à Paris et dans les autres universités, à Oxford, à Toulouse, créée de toutes pièces contre l'hérésie, une construction théologique qui gagnait très vite en netteté et en rigueur.

Sur elle s'appuyait la prédication de vérité qui, dans les villes, s'exerçait d'abord par la parole, celle en premier lieu des Dominicains et des Franciscains. Ces spécialistes savaient mieux prêcher que l'évêque et ses prêtres, qui durent leur céder la place. Ils pullulaient, partout présents, familiers. Plus attentifs aux remous de la conscience nouvelle, ils connaissaient les moyens de se faire entendre de larges auditoires, de les atteindre au plus sensible. Ils employaient la langue de tous les jours, s'efforçaient au concret, à l'image frappante; ils introduisaient dans leurs prônes des anecdotes adaptées à la condition sociale de chaque public. Ils associaient déjà à leur propagande les artifices de la représentation théâtrale: on montrait alors au peuple de Paris les premiers *Miracles de Notre-Dame*. Quant à l'art, il était jusqu'alors avant tout prière, hommage, louange de la gloire divine; le souci de persuader en fit désormais, et de façon cette fois systématique, un instrument d'édification.

* * *

Dans la première moitié du XIIIe siècle, les Ordres mendiants ne coopèrent pas encore directement à la création artistique. Ils sont à peine fixés. Leurs couvents sont des sortes d'auberges et leurs oratoires, des hangars. Frères prêcheurs et Frères mineurs laissent au clergé le soin d'orner les sanctuaires.

Ils l'engagent à le faire, lui fournissant des thèmes iconographiques dérivés de leur prédication. Saint Bernard, qui bannissait toute image des abbayes cisterciennes, avait admis déjà que l'art figuratif décorât les églises urbaines, pour « permettre aux évêques qui se doivent à tous, sages et ignorants, d'exciter par des images sensibles la dévotion charnelle du peuple lorsqu'ils ne peuvent le faire par des images spirituelles ». Et saint François voulait que fussent « précieusement ornées » les églises qui abritaient le corps du Christ. Au temps des premières missions dominicaines et franciscaines, une nouvelle génération de cathédrales s'éleva donc au-dessus des cités, comme un sermon permanent. Poussée désormais plus rapide. Notre-Dame de Paris s'achève en 1250, mais on y travaillait depuis près d'un siècle. La prospérité croissante des bourgeois, la canalisation plus efficace des aumônes, la volonté de convaincre vite, accélèrent alors les constructions. On s'affaire sur les chantiers comme sur l'un des fronts décisifs du combat pour la vérité. Les travaux d'une nouvelle cathédrale sont commencés à Chartres en 1191 ; vingt-six ans plus tard, l'édifice était terminé. L'œuvre est conduite plus vivement encore à Amiens ; à Reims, où elle s'inaugure en 1212, l'essentiel était fait en 1233. Chantiers immenses, qui furent le lieu des plus grands investissements, des plus vastes entreprises artisanales de l'époque. Les chapitres en confiaient maintenant la direction à des techniciens, qui passaient d'une tâche à l'autre, au hasard des commandes. L'un d'eux, Villard de Honnecourt, a laissé des carnets. On le voit préoccupé de perfectionnements mécaniques, curieux d'appareils de levage, qui pussent économiser la main-d'œuvre et hâter l'achèvement de l'ouvrage. Il s'y montre également capable d'appliquer des formules théoriques et de concevoir dans l'abstrait l'ensemble d'un édifice. Les « docteurs ès pierres » avaient assimilé désormais la science des nombres que l'on enseignait aux écoles; ils se disaient eux-mêmes « maîtres ». Toutefois les monuments qu'ils avaient charge d'élever inscrivaient encore, dans la matière inerte, la pensée des professeurs, ses cheminements dialectiques. Ils démontraient la théologie catholique.

Celle-ci, plus que jamais, fut en ce temps affirmation de lumière. Pour mieux combattre les séductions du catharisme, les meilleurs des penseurs sacrés avaient repris l'édifice de hiérarchies ordonnées construit par Denys l'Aréopagite, cherchant seulement à l'étayer de raisons plus fermes, et à l'enrichir du progrès des connaissances physiques. Robert Grosseteste, qui lança les jeunes écoles d'Oxford, lisait le grec; il connaissait Ptolémée, la nouvelle astronomie et les commentaires scientifiques dont les Arabes avaient entouré le *Traité du ciel* d'Aristote. Pour lui, Dieu est encore lumière, et l'univers, une sphère lumineuse qui rayonne d'un foyer central dans les trois dimensions de l'espace. Tout le savoir humain procède d'une irradiation spirituelle de la lumière increée. Le péché rend le corps opaque, sinon l'âme percevrait directement les feux de l'amour divin. Mais dans le corps du Christ, Dieu et homme, l'univers corporel et l'univers spirituel reviennent à leur unité native. Jésus — et la cathédrale qui en figure le symbole — apparaissent ainsi comme le centre dont tout procède, où tout s'éclaire, la Trinité, le Verbe incarné, l'Eglise, l'humanité, la créature. Ces conceptions commandaient une esthétique. « Entre tous les corps, la lumière physique est ce qu'il y a de meilleur, de plus délectable, de plus beau; ce qui constitue la perfection et la beauté des formes corporelles, c'est la lumière. » Robert exprimait en philosophe ce que sentaient obscurément les Franciscains, dans leur louange de sainte Claire: « Son visage angélique était *plus clair* et plus beau après l'oraison, tant il *resplendissait* de joie. Vraiment le gracieux et libéral Seigneur remplissait de ses *rayons* sa pauvre petite épouse, de telle sorte qu'elle répandait autour d'elle la *lumière* divine. » Et le dominicain Albert le Grand définit la beauté comme un « resplendissement de la forme ».

Plus encore que les églises dont elle procède, la cathédrale de la deuxième génération s'illumine donc des splendeurs divines. A Paris, les parties hautes de la Sainte-Chapelle ne sont plus qu'un piège aérien où viennent s'emprisonner les rayons. Les murs disparaissent. De toutes parts, le jour pénètre un espace intérieur que l'on veut plus homogène. Il eût ravi Suger. A Reims, Jean d'Orbais conçoit des fenêtres entièrement ajourées, dont Villard de Honnecourt s'empressa de fixer le dessin, et dont le type se répandit partout; après lui, Maître Gaucher supprima tous les tympans au portail de la façade et les remplaça par des verrières. Partout fleurirent des roses. Ells s'épanouirent jusqu'à rejoindre l'armature des contreforts; cercles de perfections, symboles de rotation cosmique, elles figuraient le jaillissement créateur, la procession de la lumière et son retour, cet univers d'émanations radieuses et de reflets que décrit la théologie dionysienne.

L'optique de Robert Grosseteste débouchait sur un *Traité des lignes, angles, figures, des réflexions et réfractions des rayons.* C'est-à-dire sur une géométrie, celle des épures. Ce fut d'elle que l'architecture du XIIIe siècle tira sa rigueur rayonnante, pour la disposer au regard, précise comme un syllogisme. Les nouvelles inflexions du savoir, que dispensait la faculté des arts, vinrent s'y refléter. La nouvelle cathédrale apparaît moins rhétorique, moins préoccupée d'agréments, plus soucieuse d'une analyse dialectique des structures. Elle vise à la clarté rationnelle des démonstrations scolastiques. Ses formes ont pris naissance dans l'esprit de ces clercs qui, toute l'année, fourbissaient les armes de leur intelligence pour affronter les grands tournois de Pâques, les disputes quodlibétiques, escrime acérée de la pensée. Comme eux, le maître d'œuvre procède par dissociation en isolant des parties homologues, puis les parties de ces parties, avant de les grouper logiquement. La cathédrale développe dans la verticalité, en un jeu d'intelligence persuasive, une géométrie tissée sur la lumière.

Quant aux ornements qu'elle propose, ils ne sont pas choisis pour charmer. Ils présentent à la vue des foules une théologie de l'Eglise. Conquérantes, projetées comme une affirmation de puissance au milieu des ruelles de la ville, toutes ces images sont offertes. A Reims, à Amiens, le peuple des statues a quitté les embrasures et s'avance au-devant des fidèles pour une prédication muette des valeurs du sacerdoce. Ces figures exaltent la mission de tous les clercs, celle des maîtres qui enseignent, celle des prêtres qui consacrent le pain et le vin, celles de l'évêque et de l'inquisiteur. Melchisédech présente l'hostie à des Saül chevaliers. Puisque la cathédrale combat les erreurs vaudoises, ses sculpteurs n'établissent point le Christ dans le dénuement, la solitude et la trahison : ils montrent le fondateur d'une église, siégeant au milieu de son clergé, comme un évêque. Et puisque la cathédrale lutte contre les Cathares, négateurs de la Création, de l'Incarnation et de la Rédemption, ce que proclame avant tout son décor, c'est la toute-puissance du Dieu triple et un, d'un Dieu créateur, d'un Dieu fait homme, d'un Dieu sauveur.

LES PORTES DE BRONZE

Dans les forêts de l'Austrasie vivait un peuple de forgerons, et les meilleures armes du monde étaient jadis sorties de leurs ateliers. Grâce à celles-ci les chefs des bandes franques étaient parvenus à étendre leur domination sur tout l'ouest du continent européen. Lorsque leurs victoires eurent ressuscité l'Empire, lorsque Charlemagne, nouvel Auguste, voulut élever dans les domaines de ses ancêtres des monuments semblables à ceux des Césars, il fit transporter de Rome à Aix-la-Chapelle des bronzes antiques. Depuis lors, les ouvrages de bronze constituaient l'un des éléments fondamentaux du décor impérial. Lorsqu'il s'était efforcé de rénover près du tombeau des rois de France les traditions carolingiennes, Suger avait donc décidé de placer à Saint-Denis des portes de bronze. Toutefois la diffusion de ce type d'ornement dans l'Europe du XIIe siècle manifeste surtout le renouveau de gloire dont, au temps de Frédéric Barberousse, rayonnait l'Empire germanique.

Les royaumes slaves de l'Est vivaient sous son protectorat. Quand l'évêque de Plock, vers 1155, entreprit d'embellir son église, il fit venir de Saxe ou de Lorraine des plaques de bronze historiées pour les disposer sur la porte. Mais en chemin, des pillards s'en emparèrent. On les voit donc aujourd'hui à Sainte-Sophie de Novgorod-la-Vieille, le grand marché où les trafiquants allemands commençaient à s'aventurer pour troquer contre des draps le miel, la poix et les fourrures de la Russie. Ces panneaux illustrent l'Histoire sainte, mais gauchement; ils impriment un accent barbare aux formes peintes sur les Bibles rhénanes. Alors que les portes de la cathédrale voisine de Gniezno sont d'une pureté toute classique. Elles narrent, dans le style de la renaissance saxonne, les divers épisodes de la vie de saint Adalbert, l'ami de l'empereur Otton III, qui avait avant l'an mil évangélisé la Bohême, était mort martyr chez les Prussiens et dont on conservait les reliques dans la métropole polonaise.

A la même époque la puissance de l'Empire s'affermissait en Toscane et dans le sud de l'Italie, sur les vieux duchés lombards et sur le royaume de Sicile, dont le fils de Barberousse épousait alors l'héritière. A Pise, le bronzier Bonannus disposait en 1180, autour de la grotte de la Nativité, des figures d'anges et de bergers musiciens: il retrouvait l'esprit de Hildesheim; ses personnages sont libérés de cette sauvagerie que l'on voit encore au portail de Saint-Zénon de Vérone. Quinze ans plus tard, à Bénévent, à Monreale, d'autres bronzes imposaient à des sanctuaires, dont le décor tout entier relevait de Byzance, le sceau impérial, germanique et romain, des Staufen.

BONANNUS DE PISE (MORT VERS 1183) - PORTE DE BRONZE DE SAINT RAINIER - 1180. CATHÉDRALE DE PISE.

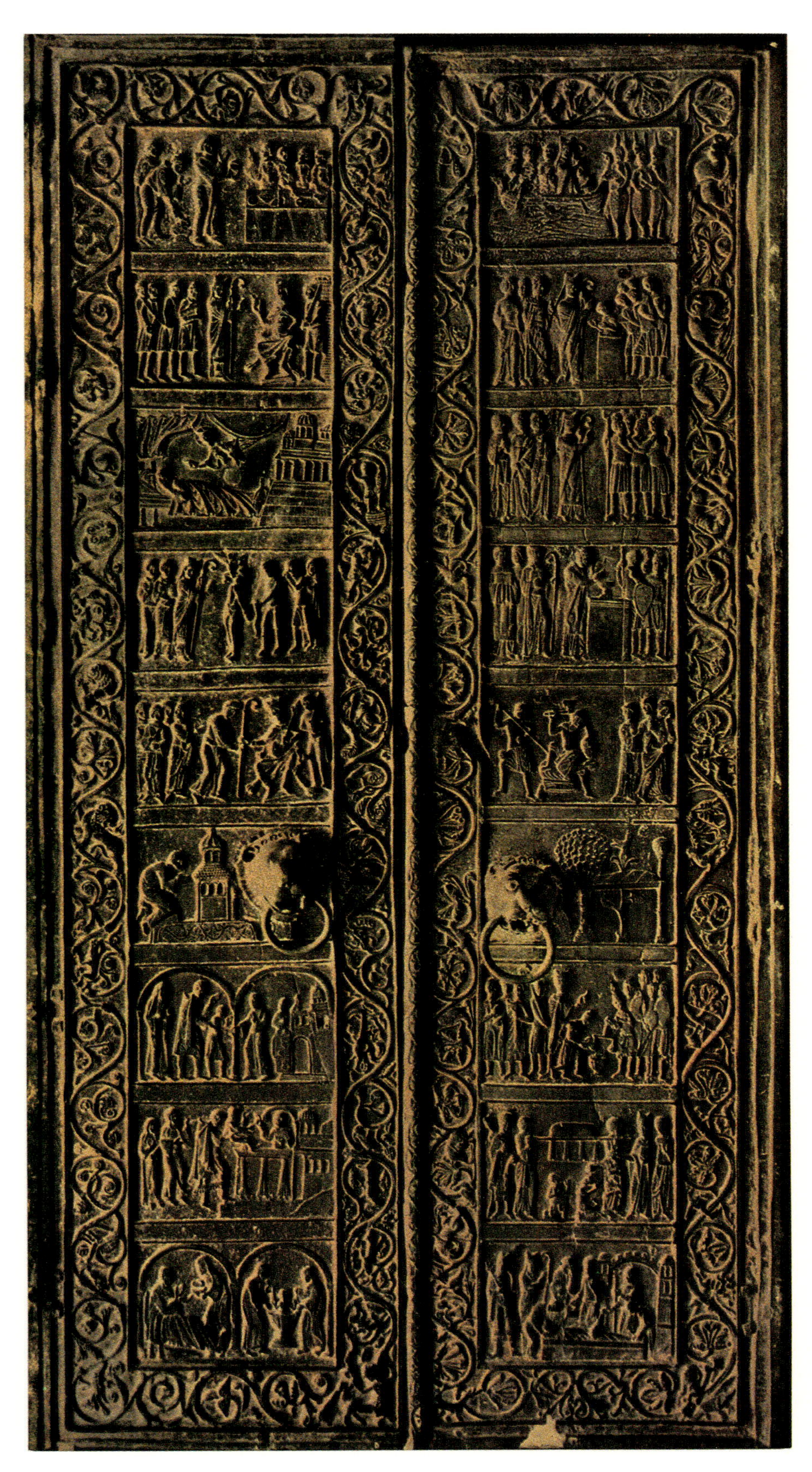

PORTE DE BRONZE AVEC LES SCÈNES DE LA VIE DE SAINT ADALBERT - VERS 1175. CATHÉDRALE DE GNIEZNO (POLOGNE).

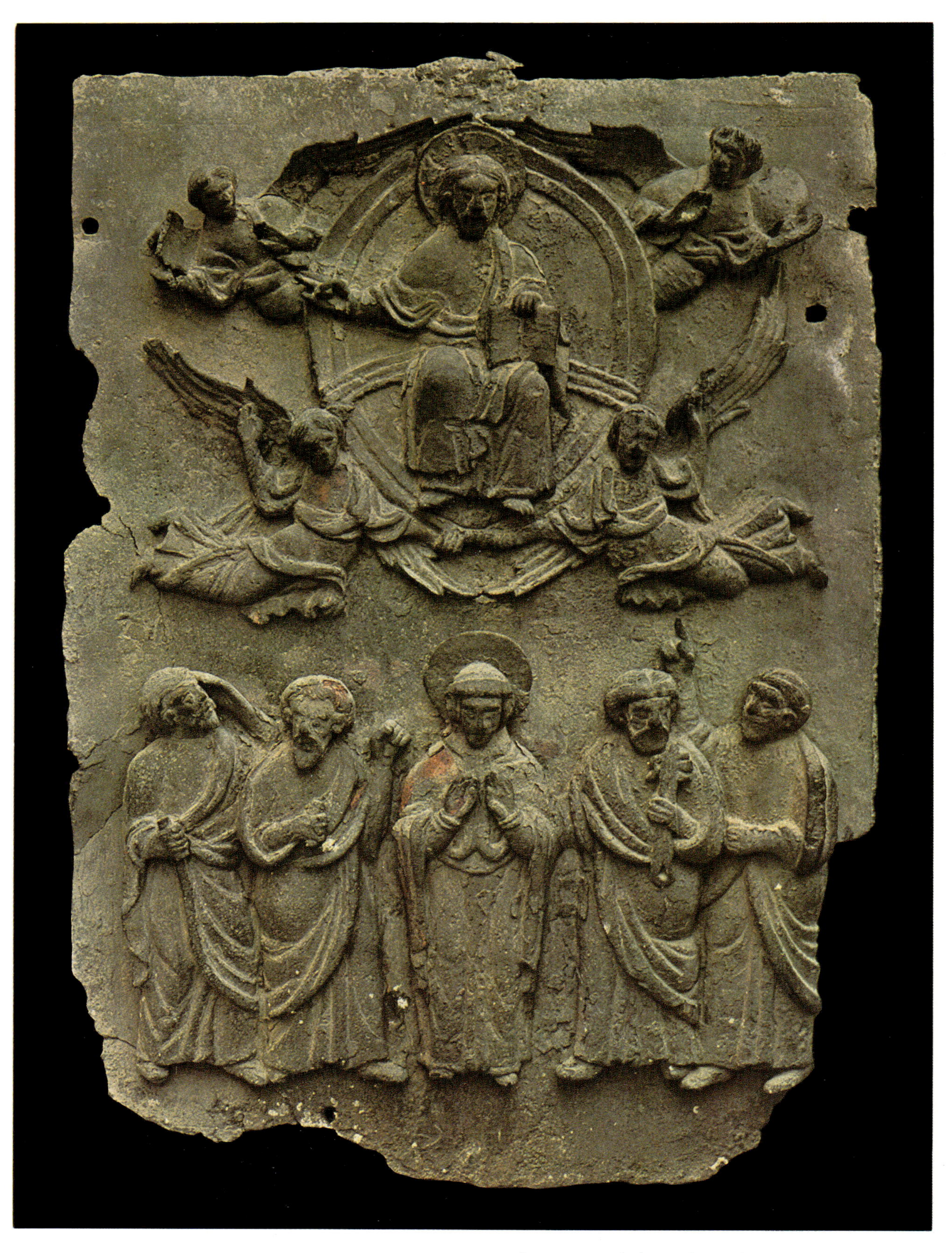

PORTE PRINCIPALE EN BRONZE DE LA CATHÉDRALE DE BÉNÉVENT (ITALIE),
DÉTAIL - FIN DU XIIe SIÈCLE.

BONANNUS DE PISE (MORT VERS 1183) - PORTE PRINCIPALE EN BRONZE (ACHEVÉE EN 1186)
DE LA CATHÉDRALE DE MONREALE (SICILE), DÉTAIL.

L'ART ANTIHÉRÉTIQUE

Dans le sud de la chrétienté, la crue de l'hérésie multiforme, les inquiétants progrès du catharisme et de toutes les sectes mal discernables qui niaient la primauté romaine, incitaient à proclamer très haut les vérités du dogme catholique. Aux yeux des foules que le succès des Parfaits détournait de franchir son seuil, l'église devait déployer sur sa façade, en pleine lumière, un décor figuratif qui fût un sermon permanent. La prédication sculptée du porche ne pouvait plus se concentrer sur la vision de la Fin des temps ; il lui fallait employer des arguments plus directs et qui pussent toucher les humbles ; elle devait proclamer qu'en Jésus, Dieu s'est fait homme, raconter son existence terrestre et prouver la valeur de son sacrifice.

Sur la façade du monastère de Ripoll, on avait encore disposé en registres superposés, comme sur les manuscrits liturgiques, les scènes de l'histoire de Moïse, de David et de Salomon. Mais en 1160-1170, au foyer même de la dissidence cathare, le portail de Saint-Gilles monte sur un immense théâtre l'exhortation antihérétique. Entre les colonnes d'un temple antique, foulant aux pieds les forces du mal et les ferments des mauvaises croyances, les apôtres, témoins du Verbe incarné, se dressent dans toute la force de la vraie foi : ils en sont les athlètes. La frise qu'ils supportent déroule le récit évangélique. Elle le concentre, au trumeau de la porte majeure, sur la représentation de la Cène. Elle proclame la vérité de l'Eucharistie, le sacrement qui maintient Jésus vivant en ce monde jusqu'au grand retour du Jugement dernier.

On retrouve ce même thème traité à la cathédrale de Modène par des artistes contemporains, très proches de Benedetto Antelami, le plus grand sculpteur italien de ce temps. A Parme, pour décorer l'ambon de la cathédrale, l'estrade où l'on venait lire au peuple le texte de l'Evangile, les clercs l'avaient invité à reprendre l'image byzantine de la Déposition de croix. En voyant le Christ mort sur le Calvaire, au milieu des soldats, des saintes femmes et de Marie qui baise sa main droite, chacun devait admettre que Dieu n'est pas seulement esprit et lumière, qu'il a pris chair pour souffrir et pour subir le trépas, afin d'entraîner l'humanité dans la rédemption. Mais le même artiste sut exprimer aussi la joie du monde créé. Sur la façade, il avait illustré un poème allégorique carolingien que l'on attribuait à Alcuin, le Combat de l'hiver et du printemps. *La figure printanière, symbole de la vie triomphante, de la résurrection de la nature, de celle aussi de Jésus et de toute l'humanité, est ici le corps d'une fille, pure, noble et toute simple. De cette simplicité lui vient sa présence plastique et la gravité juvénile qui l'empreint.*

PORCHE DE L'ÉGLISE ABBATIALE SAINTE-MARIE, A RIPOLL (CATALOGNE) - MILIEU DU XIIe SIÈCLE.

LES TROIS PORTAILS DE L'ÉGLISE DE SAINT-GILI

-1170.

LE ROI DAVID, DÉTAIL DE LA FAÇADE DE LA CATHÉDRALE DE FIDENZA (BORGO SAN DONNINO) - 1214-1218.
(SCULPTURES ATTRIBUÉES A BENEDETTO ANTELAMI).

ANSELMO DA CAMPIONE ET SON ATELIER - LA CÈNE, DÉTAIL DU JUBÉ - 1160-1175.
CATHÉDRALE DE MODÈNE.

BENEDETTO ANTELAMI (VERS 1150-VERS 1230) - DÉPOSITION DE CROIX - MARBRE - 1178.
CATHÉDRALE DE PARME.

LE BAPTISTÈRE DE PARME AVEC LE PORTAIL NORD DÉDIÉ A LA VIERGE, DE BENEDETTO ANTELAMI - 1196-1200.

3

LE PORCHE

« O vous qui avez dit: « Je suis la porte et celui qui entre par moi sera sauvé », montrez-nous avec évidence de quelle demeure vous êtes la porte, à quel moment et quels sont ceux à qui vous l'ouvrez. ... La maison dont vous êtes la porte, c'est le ciel que votre Père habite. » A l'invocation du cistercien Guillaume de Saint-Thierry, la cathédrale de France donne réponse visible et permanente. Jésus est la voie, et la cathédrale, corps du Christ, ouvre de toutes parts ses portails. Son transept n'a plus d'autre fonction que de disposer au nord et au sud de l'édifice un porche aussi vaste, aussi convaincant que celui qui se tourne vers le couchant. Autour d'elle ses entrées s'amplifient, deviennent des monuments complexes, presque autonomes. Le regard — que l'entassement des maisons, dans les villes dépourvues d'esplanades, prive de recul et qui perçoit à peine le décor des hauteurs — ne voit plus qu'eux. Par eux, de toutes parts, la cathédrale s'ouvre à la cité. Pour l'enseigner. Les porches sont des écoles, moins fermées que les travées du cloître et que les échoppes où des escouades d'étudiants s'asseyent aux pieds des maîtres. Elles ne parlent pas latin, mais un langage que chacun doit pouvoir comprendre: elles ont mission de vulgariser la science des docteurs, et cette tâche d'édification justifie toutes les dépenses, l'énorme dilapidation de matériaux, de travail et d'art où vient se perdre le fruit des collectes et des taxes, tant de richesses extorquées par l'évêque et les chanoines aux marchands de la ville et aux paysans des campagnes environnantes. Par ses porches, la cathédrale assume sa fonction pastorale qui consiste à répandre parmi le peuple la vraie croyance, raffermie, précisée dans l'atelier intellectuel, dans le centre d'études qu'elle abrite.

Les églises qui l'avaient précédée situaient dans leur partie antérieure le lieu des cultes funéraires. Elles avaient donc placé là la représentation du Jugement dernier, la grande vision du destin de l'homme, ouverture sur la surnature, sur un univers délivré de l'espace et du temps, établi dans la gloire et dans l'éternité. La scène du Dernier Jour occupe encore au porche de la cathédrale cette position centrale, mais elle y revêt dispositions nouvelles et nouvelles significations. Un Christ juge domine le Portail de la Gloire que Maître Mathieu sculpta en 1188 à Saint-Jacques de Compostelle; mais il s'y montre dépouillé de l'irréalité fascinante de tous les Christs du retour qu'avait montrés l'Aquitaine clunisienne. Il a pris corps et vie. Jésus toutefois, entouré par le chœur des musiciens célestes, n'est point encore descendu au niveau du peuple; il apparaît comme un prêtre, officiant dans les liturgies divines, comme un roi qui a fait disposer autour de son trône, ainsi que pour les cérémonies de couronnement, toutes les parures de son trésor. Ces objets sont ici les reliques de la Passion; des linges purificateurs les protègent; une cohorte d'anges serviteurs les présente aux yeux des fidèles comme les armes terrestres de la victoire de Dieu et comme les instruments du salut commun.

Une foule de figures sculptées remplit le porche de Compostelle. Mais, dans la France royale, les porches des cathédrales abritent en beaucoup plus grand nombre les figurants du drame sacré. Rassemblés, ils participent à une ample mise en scène didactique qui tend à représenter dans sa complexité tout le dogme catholique. De longue date, on avait employé les artifices du théâtre pour expliquer au peuple le sens des liturgies capitulaires. Ce sont ces représentations périodiques qui viennent maintenant s'immobiliser dans la sculpture. Au temps de Noël, on avait monté des spectacles où des récitants, tour à tour, prononçaient devant les fidèles les paroles de l'Ecriture, annonciatrices de l'Incarnation. Ils tenaient le rôle d'Isaïe, de Jérémie, de David, de Moïse. Sortent de tels drames paraliturgiques toutes les statues des prophètes, celles de Jean-Baptiste, de Siméon, d'Elisabeth, de l'ange Gabriel, celles enfin des héros de l'Histoire sainte, tenus pour les préfigures du Christ: Adam, image du fils de l'homme, le pasteur Abel, Noé, Melchisédech qui avait offert le pain et le vin. Voulant atteindre à plus de vérité pour mieux convaincre, les ordonnateurs du programme iconographique ont brisé le cadre d'architecture qui d'abord avait enserré les scènes du théâtre sacré. Le mur les emprisonnait — elles s'en dégagent, s'avancent au-devant du public, et le tympan s'étire en hauteur pour que le récit qu'il expose se développe largement dans une superposition d'étages. Tout le peuple d'acteurs s'anime; il s'accroît; aux divers portails de Chartres, la statuaire veut embrasser tout l'Ancien et tout le Nouveau Testament, montrer la création du monde, accueillir aussi tous les saints médiateurs dont on conserve les reliques dans le sanctuaire et dont les vertus individuelles sont proposées en exemple au pécheur.

Jean Le Loup avait conçu pour la façade de Reims un porche immense; l'archevêque Henri de Braisne le désirait plus splendide encore que celui de la cathédrale d'Amiens, dont le siège était suffragant du sien. L'œuvre fut achevée par Maître Gaucher, qui imagina de substituer des verrières au tympan et de transporter dans le gâble les scènes dont celui-ci portait illustration. La plupart des statues avaient été taillées sous la direction de Jean Le Loup; Gaucher les mit en place entre 1244 et 1252. Il en modifia l'ordonnance pour répondre au développement récent de la pensée théologique, qu'envahissait la dévotion mariale. Il était prévu d'établir au centre les saints protecteurs du sanctuaire, saint Nicaise, le pape Céleste, et saint Remi; ils furent relégués dans le portail latéral de gauche, dont les voussures illustrent la Passion et la Résurrection. Celui de droite, consacré au Jugement dernier, reçut les images des prophètes. La Vierge occupa dans son entier le portail majeur. Aucune des statues sorties des ateliers de Reims n'égale en beauté et en ferveur celles de l'Annonciation, de la Visitation et de la Présentation au Temple.

LE PORCHE

1. La cathédrale Notre-Dame d'Amiens, le portail occidental – deuxième quart du XIIIe siècle.
2. La cathédrale Notre-Dame de Chartres, le portail sud – XIIIe siècle.
3. La cathédrale Notre-Dame de Reims, le portail occidental – vers 1230-1250.
4. La cathédrale Saint-Etienne à Bourges, le portail occidental – milieu du XIIIe siècle.
5. Le portail de l'église Santa Maria la Real, Sangüesa (Navarre) – XIIe siècle.
6. La cathédrale de Saint-Jacques-de-Compostelle: le Portail de la Gloire par Maître Mathieu – 1188.

1

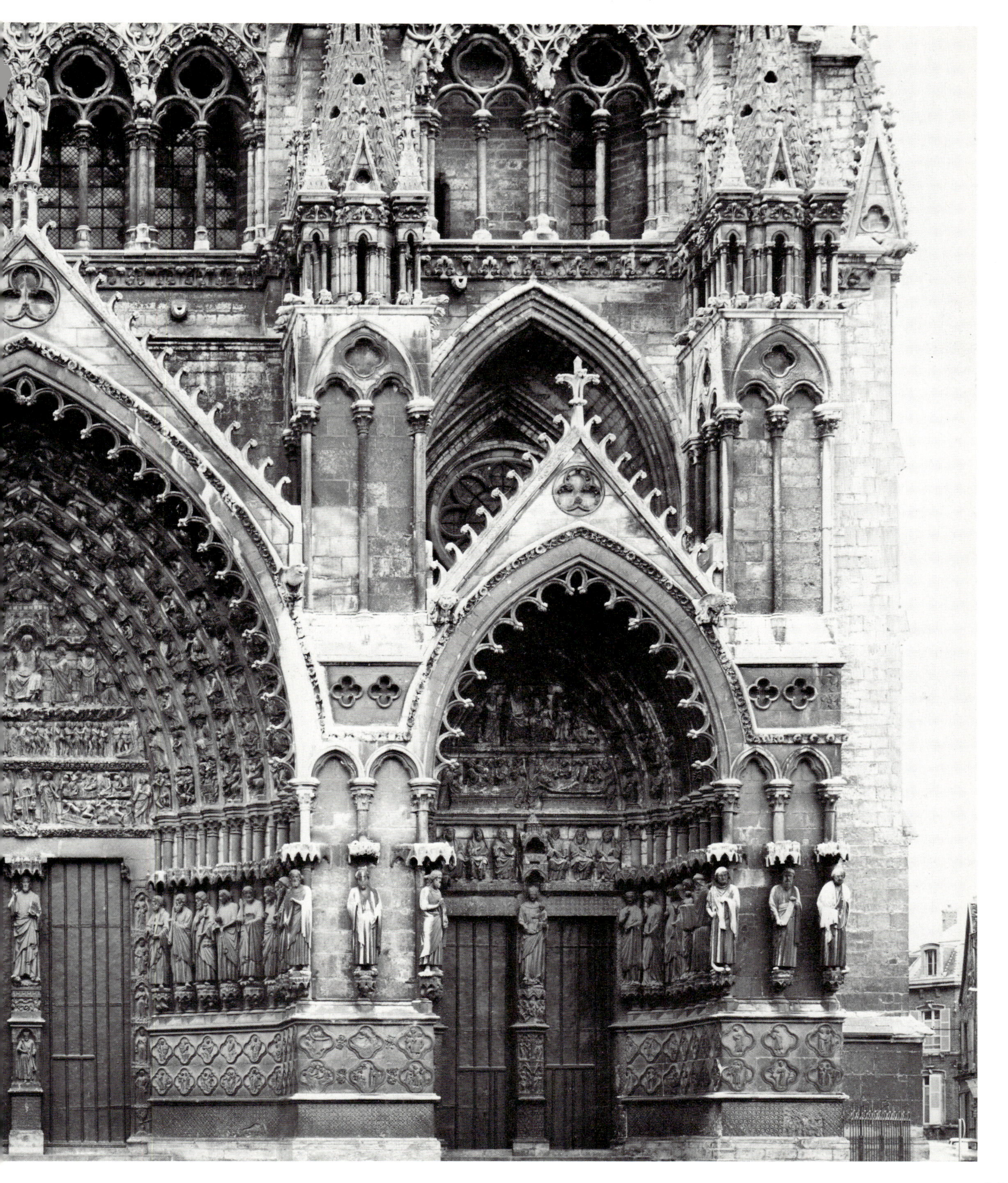

2

3

5

4

6

LA CRÉATION

Au début du siècle, le panthéisme d'Amaury de Bène fut violemment extirpé: il importait de ne pas confondre Dieu et les créatures et de distinguer les valeurs particulières du corps, de l'âme et de l'esprit. Sans toutefois condamner la matière, sans l'établir à l'écart de Dieu, ni la dresser contre lui, comme un principe différent et hostile: le dualisme manichéen demeurait le péril majeur. Prudemment interprétée, la théologie de Denys l'Aréopagite offrait un point d'équilibre. Elle montrait la nature issue de Dieu et retournant à Lui, pour Le compléter. Dans ce double mouvement d'amour, les créatures apparaissent comme des substances distinctes de la divinité qui existe séparément d'elles, mais leur être se conforme à un modèle exemplaire qui est en Dieu; illuminées, entièrement remplies de Lui, elles n'en présentent cependant qu'un reflet. Selon la pensée dionysienne, et selon la théologie orthodoxe qui s'en inspire, la matière participe à la splendeur de Dieu; elle Le glorifie; elle conduit à Le connaître.

L'optimisme jubilant de François d'Assise la concevait bien comme telle. « Comment exprimer l'attendrissement qui le saisissait en retrouvant dans les créatures le signe, la puissance et la bonté du Créateur ? De même que jadis les trois enfants dans la fournaise invitaient tous les éléments à louer et à glorifier le Créateur de l'univers, de même François, rempli de l'esprit de Dieu, trouvait dans tous les éléments et les créatures sujet d'adresser au Créateur et au Maître du monde gloire, louanges et bénédiction... Voyait-il un champ émaillé de fleurs, aussitôt il leur prêchait, comme si elles avaient eu la raison, et les invitait à louer le Seigneur. Les moissons et les vignes, les eaux courantes, les jardins verdoyants, la terre et le feu, l'air et les vents, il exhortait tout cela, avec la simplicité la plus sincère, à aimer Dieu, à Lui obéir de bon cœur. Il donnait le nom de frère à toutes les créatures, et par une prérogative refusée aux autres, son cœur pénétrait leurs secrets, comme si, délivré de son corps, il vivait déjà en la glorieuse liberté des enfants de Dieu. » Frère de Jésus, François se sent aussi frère des oiseaux du ciel, du soleil, du vent et de la mort. Il va par les campagnes ombriennes, et toutes les beautés l'accompagnent en cortège d'allégresse. Une telle communion dans la joie du monde s'accordait aux désirs de conquête de la jeunesse courtoise; elle était capable de ramener vers Dieu les troupes de garçons et de filles qui partaient fleurir l'arbre de mai. C'était en accueillant la nature, les bêtes sauvages, la fraîcheur de l'aube et les vignes mûrissantes, que l'Eglise des cathédrales pouvait espérer attirer à soi les chevaliers chasseurs, les troubadours et les vieilles croyances païennes, dans la puissance des forces agrestes. L'ascète saint Bernard déjà l'avait dit de manière plus farouche: « Vous verrez par vous-mêmes que l'on peut tirer du miel des pierres et de l'huile des rochers les plus durs. »

En réhabilitant la matière, la théologie catholique rejetait le fondement même du catharisme, et ce fut peut-être le cantique franciscain des créatures qui remporta sur l'hérésie les victoires les plus décisives. Célébrant Dieu dans son acte créateur, les théologiens inscrivirent donc en plein centre de l'art des cathédrales l'image réconciliée de l'univers visible. La rose du transept nord à Reims, les voussures de Chartres montrèrent Dieu faisant jaillir la lumière et les astres, séparant le jour et la nuit, la terre et l'eau, modelant les plantes, les animaux, l'homme enfin. Elles exposèrent au regard un inventaire de la création. Ici cependant le récit de la Genèse se dégageait du symbolisme. Il était possible d'en accorder le texte, comme déjà Thierry de Chartres l'avait tenté, à ce qu'enseignait alors la physique. Les actes successifs de la création du monde devinrent désormais spectacle, vision claire et lucide. Tous les êtres de la nature ne sont-ils point perceptibles aux sens dont Dieu a pourvu l'homme, l'invitant à les regarder, à les observer, non plus à les imaginer en rêve? « L'âme », dit saint Thomas d'Aquin, « doit tirer du sensible toute sa connaissance. » C'est en ouvrant les yeux que l'on voit ces formes de Dieu. Voici donc que la pensée nouvelle faisait reculer la fable, le fantastique des bestiaires, toutes les merveilles inventées; alors que croisés, marchands et missionnaires partaient à la découverte de contrées inconnues, elle dissipait les brumes et les fantasmes, elle venait substituer des bêtes vivantes aux monstres que les héros des romans courtois rencontraient naguère sur le chemin de leur errance, et les feuilles que chacun peut voir dans la forêt à la flore symbolique des enluminures romanes.

Dans les provinces d'où jaillit l'art français, le seuil du XIIIe siècle marque l'éveil de l'attention: les romans de Jean Renart décrivent le réel de la vie, la cupidité des bourgeois, les vantardises des matamores. Le livre de la nature du maître Thomas de Quantimpré veut être encore un guide parmi les détours d'une interprétation allégorique des choses visibles, mais il n'insiste pas seulement sur les relations subtiles qui accordent aux vertus et aux abstractions morales chacun des êtres créés, il s'attache également à définir ce qui fait leur utilité pratique. Quant aux constructions théologiques, elles associent toutes, à l'exemple d'Aristote, une physique à leur métaphysique et celle-là ne se fonde plus sur des analogies, mais bien sur l'expérience des sens. Ces sommes de la connaissance se veulent scientifiques et s'efforcent d'assimiler les données empruntées aux savants arabes et grecs. Avec la géométrie qu'elle implique, l'optique est alors à la pointe des recherches. C'est, en Europe, le temps des astronomes et des premières mesures exactes de l'univers stellaire. C'est aussi le temps des naturalistes. Albert le Grand, qui arrive à Paris en 1240, présente aussitôt à ses élèves, en dépit des interdictions, la *Philosophie naturelle* d'Aristote. « En matière de foi et de mœurs, il faut suivre saint Augustin plus que les philosophes, s'ils sont en désaccord. Mais si nous parlons médecine, je m'en remets à Galien et à Hippocrate, et s'il s'agit de la nature des choses, c'est à Aristote que je m'adresse ou à quelque autre expert en la matière. » Lui-même rédige une *Somme des créatures* où il décrit méthodiquement les caractères particuliers de la faune des pays d'Allemagne, où il avait d'abord vécu. Car les Dominicains, comme les autres hommes, aimaient à se délasser dans les bois; les villes n'étaient pas si vastes ni si closes que l'on n'y sentît l'odeur du printemps; leur enceinte nouvelle encerclait des jardins, des vignobles, des champs de blé même. La civilisation matérielle, encore très fruste, n'avait point coupé l'homme du XIIIe siècle du cosmos. C'était encore un animal de plein air et, pour lui, le temps changeait de rythme et de saveur au fil des saisons. Les intellectuels eux-mêmes ne vivaient pas dans des chambres, mais plus souvent dans les vergers, parmi les prés, et tous les cloîtres s'ordonnaient autour d'un jardin peuplé d'oiseaux et de fleurs. Cette familiarité avec les choses naturelles, le sentiment qu'elles n'étaient pas coupables mais qu'elles portaient la marque de Dieu et qu'elles révélaient son visage, ont suscité la montée de sève vivante qui s'éleva peu à peu le long des fûts de Notre-Dame de Paris, parvint jusqu'à leurs chapiteaux et s'insinua dans leur couronne végétale. Celle-ci, dans le chœur qui fut achevé vers 1170, était encore construite par l'esprit selon les courbes régulières d'une géométrie conceptuelle; dix ans plus tard, dans les premières travées de la nef, la flore des corbeilles prenait déjà des formes moins abstraites: plus de symétrie; le concret se montrait dans sa diversité; il était devenu possible d'identifier telle ou telle feuille et de distinguer des espèces; toutefois, ces plantes demeuraient encore des signes; la vie ne commence à les pénétrer vraiment que dans les parties de l'édifice qui furent décorées après 1220.

Cette avancée vers le réalisme ne franchit pas cependant certaines limites. Si l'homme est appelé à explorer l'univers, c'est pour mieux définir des types, et pour découvrir l'ordre selon lequel Dieu les a répartis. La doctrine de l'école enseigne en effet que chaque être individuel, dans sa singularité, appartient à une espèce dont la forme exemplaire existe dans la pensée divine. Lorsqu'il décore la cathédrale, l'artiste a mission de figurer cette forme spécifique, et non pas les accidents individuels qui peuvent ici ou là l'altérer. Il doit donc décanter ses expériences visuelles et les traiter par la raison. Car la pensée de Dieu procède logiquement comme celle de l'homme, et les formes qu'elle engendre se projettent comme le fait la lumière, c'est-à-dire selon des ordonnances géométriques. Lorsque Villard de Honnecourt inscrit dans ses cartons des schémas de figures animées, de bêtes, d'hommes qui luttent ou qui jouent aux dés, ces figures se construisent sur des angles, des droites et des courbes, tout comme l'architecture de la cathédrale tout entière. Par ce cadre rationnel se révèlent, sous l'accidentel, les structures cachées, ce qui est pour le théologien la réalité véritable. La géométrie gouverne donc l'image gothique plus rigoureusement peut-être que l'image romane. Le nouveau, c'est qu'elle ne s'applique plus à l'imaginaire, mais à la perception, et qu'elle respecte les proportions vraies. Elle n'est là que pour munir chaque figure de l'armature exemplaire qui, selon le plan divin, sous-tend le modèle de toutes les créatures visibles.

Par ailleurs, ces images n'auraient aucun sens si elles demeuraient isolées. Il appartient au maître d'œuvre de les associer afin qu'elles coopèrent, dans l'ordre, à représenter l'ensemble de l'univers créé. La nature est une, en effet, comme le Dieu dont elle émane, et c'est dans sa totalité que la cathédrale entend la figurer. Son décor ne se résume donc pas en un choix d'échantillons. Il se veut inventaire exhaustif, image d'une cohérence; lui-même, une « somme des créatures ». Pour Alain de Lille, la Nature, « lieutenant de Dieu tout puissant », diffuse un reflet multiple de la simplicité divine. Cette conception implique une parenté entre toutes les parties de la création; elle établit entre elles des harmonies, des correspondances. Le réalisme que poursuit l'art de France est un réalisme des essences; non pas du singulier, mais du global. Cet art, qui conquiert la lucidité, respecte pourtant les hiérarchies de Denys; il établit chaque élément du cosmos, chaque astre, chaque règne, chaque ordre, chaque espèce, à sa place; il est ordination d'un ensemble. Car « la nature divine conserve toutes choses selon une convenance sans confusion, de manière que toutes soient coordonnées dans une cohérence concrète, chaque chose conservant sa pureté spécifique, là même où elle entre dans les coordinations réciproques ». De cette définition de saint Thomas, chaque mot porte et concourt à fournir la clé de l'esthétique gothique. Bientôt Dante les reprend et les prolonge:

> Les choses, toutes autant qu'elle sont,
> Ont entre elles un ordre, et cet ordre est la forme
> Qui donne à l'univers similitude avec Dieu.
> Les plus élevées des créatures y voient la marque
> De la puissance éternelle, laquelle est la fin
> Par laquelle est faite la norme susdite.
> Dans l'ordre dont je parle sont pliées
> Toutes les créatures, selon leurs diverses conditions,
> Plus ou moins voisines de leurs principes.
> Ainsi se meuvent-elles vers différents ports
> Sur la grande mer de l'être. (*Paradis* I, 103/113).

Que l'artiste enfin présente de chaque être une image de plénitude: « Ce qu'on retranche à la perfection des créatures, c'est à la perfection même de Dieu qu'on le retranche » (saint Thomas d'Aquin).

A cette perfection tendent les lois de la nature. Mais elles peineraient à l'atteindre, si l'homme n'intervenait pour forcer leur progrès, pour réduire ce qui gêne le libre jeu des rythmes naturels. Tel est son rôle: Dieu l'a doué de la raison pour cela. L'homme gothique, comme l'homme roman, vit au centre du cosmos. Il adhère à lui par « coordinations réciproques ». Il en subit constamment les influences par toute la chair dont il est fait; ses humeurs vivent en correspondance avec les éléments de la matière; le cours des astres oriente le cours de sa vie. Du moins n'est-il pas comme l'homme roman écrasé par l'univers. Ni passif. En l'instituant au sommet des créatures matérielles, au plus haut degré des hiérarchies du monde visible, l'artiste suprême l'appelle à collaborer à son œuvre. En le créant, il l'a conçu comme devant être lui-même agent de la création. Tout l'élan qui fait progresser, aux dépens des friches, les prés, les champs et les vignobles, qui étend les faubourgs des villes, qui pousse les négociants aux foires, les chevaliers au combat et les Franciscains à la conquête des âmes, toute l'allégresse active qui anime l'âge nouveau, la théologie des cathédrales l'accompagne et la traduit. La création n'est point achevée; par ses œuvres l'homme y coopère. Ainsi se trouve réhabilité, en même temps que la matière, le travail manuel. La pensée des maîtres de Paris et d'Oxford condamne le mépris du labeur que professaient les aristocraties aux époques de stagnation, et que Cluny professait encore. Alors que les Parfaits cathares refusaient de mettre leur effort au service de la matière, les moines de Cîteaux, les chanoines Prémontrés, les Humiliés de Lombardie, les petits frères de saint François ont tous travaillé de leurs mains. Ils ont transformé le monde et contribué selon leur pouvoir à la création continue de l'univers — tout comme les défricheurs obscurs qui, en ce temps même, corrigeaient le cours des eaux et substituaient aux fourrés d'épines l'ordonnance des champs labourés. Dans les nouveaux manuels de confesseur, toute profession est justifiée, qui se fonde sur le travail, et les moralistes se mettent à chercher des raisons pour légitimer le profit. Aux portes des églises urbaines, les images des travaux manuels qui figurent chacune des saisons prennent tout leur sens dans la croissance économique du XIIIe siècle; et lorsque les maîtres des corporations offrent une verrière, ils veulent y voir représentées par le menu les techniques de leur métier. Eloge, dans la cathédrale même, du travailleur conquérant.

Au milieu de la création, au milieu de l'iconographie des cathédrales s'établit donc la figure de l'homme. L'homme gothique est lui aussi un type. On ne lui voit pas les traits émaciés des ascètes, les traits boursouflés des prélats, qui souffrent de la gravelle et meurent d'apoplexie; il échappe aux déformations qu'impriment l'âge, le travail ou le plaisir. De la pensée divine, il naît adulte, au point d'accomplissement où le portera sa croissance, d'où le vieillissement le fera déchoir. Au Dieu potier qui, sur les voussures de Chartres, le façonne dans la glaise, il ressemble comme un frère. Déformer son corps dans un excès de réalisme, ou bien, comme le faisaient les imagiers romans, pour le plier à la loi du cadre, serait retrancher à la perfection de Dieu. Sacrilège. Les harmonies rationnelles qui l'unissent à la création doivent transparaître en son effigie, puisqu'elles gouvernent ses formes spécifiques. La stature, la face d'Adam et d'Eve, s'inscrivent à Bamberg dans les accords d'une géométrie parfaite. Ce sont des êtres sauvés, appelés à ressusciter dans la gloire, lavés de tout péché. Déjà les rayons de Dieu les illuminent et les aspirent vers la joie. Sur leur visage de clarté s'ébauche le sourire des anges.

Mais l'homme gothique, cependant, est aussi une personne. A Reims — parmi les saints, les apôtres, près de la Vierge et non loin de Jésus qui lui ressemble — paraît dans son humilité la Servante de la Présentation. Une personne libre, responsable de ses actes. Une conscience. La chrétienté du XIIIe siècle, qui apprend à se confesser tous les ans, à s'interroger, à découvrir les intentions de ses fautes, s'exerce à cette introspection que déjà proposait Abélard. Aussi, ce ne sont plus des symboles d'hommes ou de femmes que les docteurs des écoles établissent aux façades des églises, mais bien des êtres majeurs, affranchis des forces aveugles, maîtres d'eux-mêmes. L'amour, qui permet avec la raison d'accéder aux lumières, les imprègne. Voici pourquoi leurs lèvres frémissent, et leur regard, lieu de tous les échanges, des communications universelles, s'ouvre sur les splendeurs du monde. Par lui, l'illumination divine pénètre jusqu'au cœur de l'être pour y attiser les feux de la charité. Il est vivant. Le regard, qui prend valeur essentielle dans les métaphores lumineuses de la théologie, fait enfin de l'homme gothique un destin. Cette créature est née, elle mourra; elle a péché; elle vit dans la durée que rythme le cours des étoiles. Pourtant la pensée des docteurs vient l'arracher à l'événement, l'affranchir des changements occasionnels du monde sublunaire la soustraire aux puissances de corruption, et la voit accordée déjà, dans le mouvement immobile du temps céleste, à son exemplaire éternel. Tout comme Jésus qui a pris chair dans l'histoire, qui cependant est avant qu'Abraham ne fût, et qui vit et règne dans tous les siècles des siècles.

4

LE TEMPS

Pour les savants de l'école cathédrale, Dieu créateur n'est point le Père, ce mystère, cette idée que l'esprit humain ne peut envisager. Créé *in principio*, c'est-à-dire *in verbo*, l'univers le fut par le Verbe, par le Fils, par Dieu incarné de toute éternité. Aux voussures de Chartres, le Dieu qui, de sa main, modèle le corps d'Adam, ressemble comme un frère à sa créature; c'est un homme en effet, Jésus, qui façonne l'homme à son image et qui imprime ses traits à tous les êtres. « Chaque créature », dit Honorius Augustodunensis, « est l'ombre de la Vérité et de la Vie » — c'est-à-dire du Christ. Puisque le Christ existe au premier jour, puisqu'il est, dans son humanité, l'artisan de toutes choses, le monde que sa raison fait sortir du néant prend ainsi des dimensions humaines.

Le mouvement des sphères célestes, en qui se manifestent les rythmes profonds du cosmos, est circulaire comme le mouvement, qui lui répond, du jour et des saisons. La lumière solaire tourne au fil des heures dans les travées du cloître cistercien; elle en anime les volumes austères; et les exercices de la liturgie, le chant choral qui rassemble dans une oraison unanime toutes les communautés de prière, s'ordonnent en cycles réguliers qui, chaque jour et chaque année, se ferment sur eux-mêmes, strictement clos sur un éternel retour. Dans les structures de la cathédrale gothique, le cercle occupe cependant une place bien moindre que dans l'église romane. Est maîtresse ici la ligne droite, vecteur de l'histoire dont les hommes d'Eglise du XIIIe siècle perçoivent plus clairement l'orientation, du destin qui conduit le peuple de Dieu et chacun des êtres humains vers l'éternité. Projection rectiligne du rayon lumineux qui figure l'acte créateur et la grâce divine, élan de la dynamique rationnelle, de la recherche scolastique et de tout le progrès de ce temps, qui filent droit vers leur but. Seules les roses, symboles de la création dans sa plénitude, où la circulation de la lumière, jaillie de son foyer ineffable et revenant converger vers lui, se réduit à l'unité de son principe, épousent la courbe fermée qu'au firmament les astres parcourent.

Les façades, au sein du grand spectacle qui résume la toute-puissance de Dieu, disposent une autre image du temps. Les sculpteurs qui l'ont conçue n'ont fait en vérité que reprendre de vieux symboles déjà présents sur les calendriers des évangéliaires carolingiens. Ce sont les figures du travail rural qui, associées aux signes du zodiaque, leur servent à représenter les divers mois de l'année. Si le temps des métiers urbains, celui des artisans, celui des marchands même, que scandaient pourtant les dates des grandes réunions commerciales, elles-mêmes prisonnières des saisons, échappe en effet aux rythmes cosmiques, le temps des paysans les suit, lui, fidèlement; il en est captif. Or, dans l'Europe du XIIIe siècle, le monde de la ville, où sont venus s'établir les foyers de la création artistique, demeure tout ouvert sur les campagnes; c'est dans le plat-pays que prend assise la prospérité citadine. Les bourgeois cultivent des vignes, possèdent des champs, tiennent des brebis dans leurs masures. L'aisance des seigneurs est dépendante de la qualité des récoltes, et le cycle des redevances coutumières où s'alimente la richesse des grands se relie étroitement au cycle des travaux agricoles. Maîtres des grands domaines où s'édifie leur fortune, les prélats et les chanoines ne sont points des reclus. Ils discutent avec leurs régisseurs, ils dirigent eux-mêmes les entreprises de défrichement et choisissent sur le terrain l'emplacement des nouveaux villages. Dans leurs demeures rurales, ils vont résider par période au milieu des laboureurs; ils surveillent de près la rentrée des moissons dans les granges dîmières et guettent les mouvements du ciel lorsque l'orage risque de ruiner la vendange. Pour ces docteurs, l'observation des astres et la recherche de Dieu s'accordent intimement à l'expérience quotidienne de la nature agreste. Leur sens de la durée est rustique. Cette société est encore extrêmement fruste; elle parvient fort mal à s'éclairer, à se chauffer; tous les hommes, même les rois et même les évêques, passent le plus clair de leur vie en plein air, dans les bois, les vergers et les cloîtres, et chacun perçoit immédiatement l'allongement et le raccourcissement des jours, le retour des frimas, la montée de la sève, le réveil régulier de la nature dans le temps où l'on taille les ceps, et son engourdissement quand vient l'époque des premiers labours et de la semaille des blés d'hiver. Pour tous les hommes, la chaleur écrasante de l'été, l'ascension du soleil vers le zénith revêtent une apparence très concrète: celle d'un moissonneur assoiffé.

A l'aube du XIIe siècle, les décorateurs romans avaient ordonné en arc de cercle autour des tympans la succession des travaux rustiques. La sculpture de France maintenant les aligne en longues séquences; elle installe, dans des médaillons qui les séparent de l'architecture, les figures successives qui symbolisent le cours de la durée naturelle. L'Italie en fait des statues. A Saint-Marc de Venise, les Mois, disposés en bas-relief sur de longs bandeaux verticaux, reflètent l'iconographie française. Alors qu'en Romagne, à Parme, à Modène, dans le pays où Rome commence à reprendre son vrai visage et où les monuments antiques invitent à dégager du mur les effigies de pierre, les vendangeurs, les fouleurs de blé, les tonneliers du mois d'août, ces hommes nus qui fauchent l'herbe de juin, s'établissent dans la plastique robuste des figurines de bronze, en qui les peuples de la Méditerranée antique vénéraient les forces obscures des génies de la terre.

Cependant, en Italie comme en France, le mois de mai, morte saison de l'agriculture, prend l'aspect d'un cavalier. Son galop triomphant prolonge les vieux rites agrestes qui, dans des campagnes sans histoire, avaient toujours célébré la fécondité de la nature printanière; mais il exprime aussi la joie nouvelle des chevaliers s'élançant, après la première poussée de l'herbe, vers les aventures militaires. A Parme pourtant, au cœur de la plantureuse Emilie, le héros chevaucheur brandit un outil rustique, la serpe, qui ici, en ce temps de l'année, sert à tailler les arbres en bordure des champs.

LE TEMPS

1. La cathédrale Notre-Dame d'Amiens: les travaux des mois et les signes du zodiaque, frise du portail occidental (détails) – deuxième quart du XIIIe siècle.

2. Notre-Dame de Paris: juillet, la moisson, sculpture du piédroit du Portail de la Vierge – XIIe siècle.

3. Saint-Marc à Venise: les travaux des mois, détail. Bas-relief du portail central – XIIIe siècle.

4. L'église Santa Maria della Pieve, Arezzo: détail de la voûte du portail central – XIIe-XIIIe siècle.

5. Maître des mois de Ferrare (début du XIIIe siècle): les mois d'avril, juillet, septembre et décembre. Ferrare, Musée de l'Œuvre de la cathédrale (sculptures provenant de la cathédrale).

6. Atelier de Benedetto Antelami: le cavalier de mai – 1206-1211. Baptistère de Parme.

7. Benedetto Antelami (vers 1150-vers 1230): le printemps – vers 1180. Baptistère de Parme (sculpture provenant de la cathédrale).

1

2

3

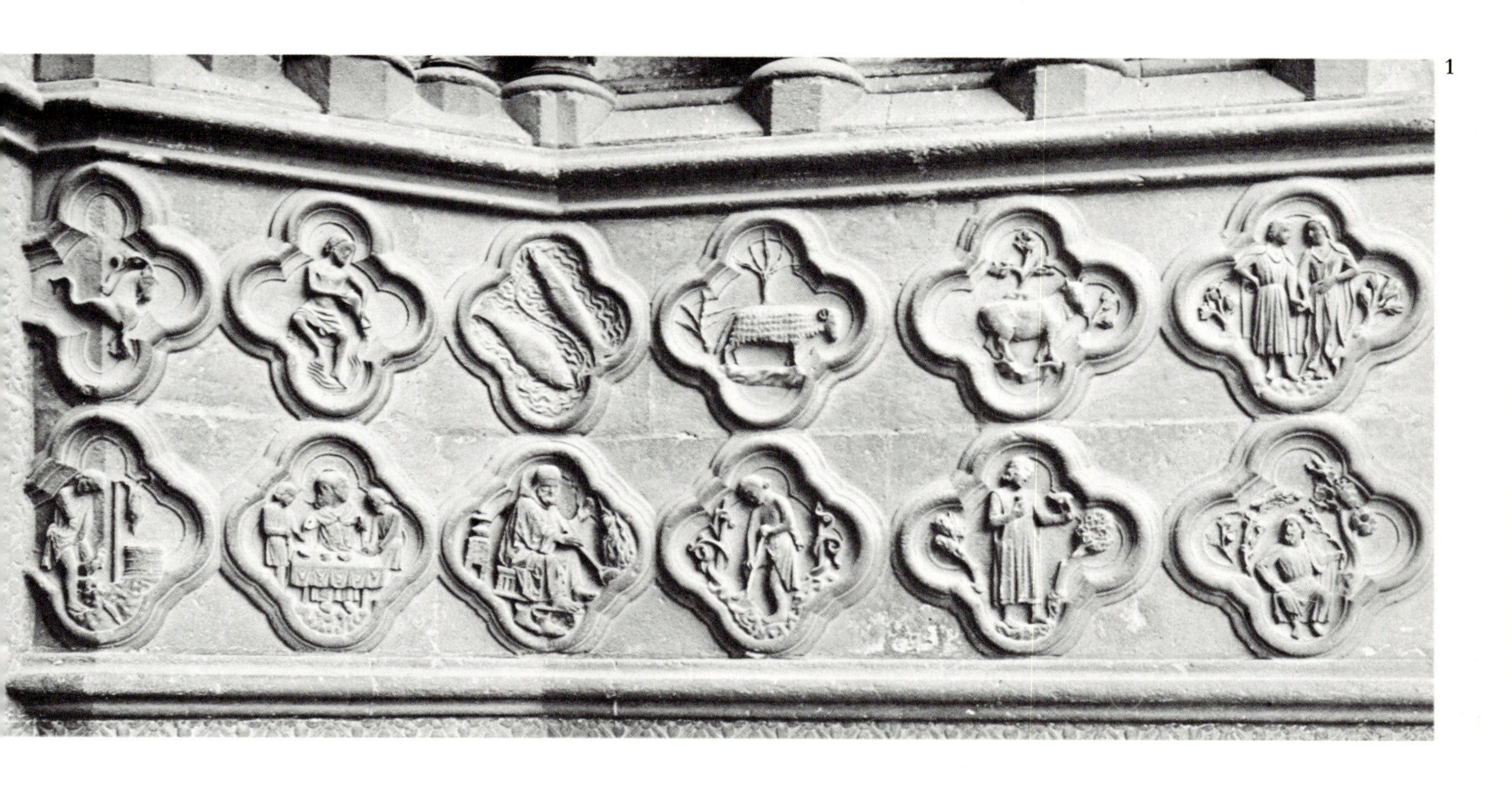

1

4

5

5

5

7

6

L'INCARNATION

Le temps s'abolit en effet au sein de la circulation mystique qui, dans la théologie de Denys l'Aréopagite, ordonne le mouvement de la création selon deux axes inversement orientés, la condescendance de Dieu et l'amour que lui portent en retour les créatures. « La sagesse et la bonté de Dieu émanent dans les créatures, » commente saint Thomas d'Aquin, « mais cette procession peut être envisagée aussi comme raison de retour vers la fin suprême, et cela s'accomplit dans les dons qui seuls nous unissent à Dieu, fin suprême : ce sont la grâce sanctifiante et la gloire. Dans l'émanation des créatures procédant de leur premier principe, il y a comme une circulation, ou une respiration, du fait que tous les êtres reviennent comme à leur fin vers ce dont ils procèdent comme de leur principe. Aussi faut-il observer les lois en jeu dans le retour comme dans la procession. » Saint Thomas cherche des raisons et s'appuie sur Aristote, mais c'est à la pensée mystique de Denys qu'il applique ses réflexions. Dans leur effort de lucidité, les maîtres dominicains et franciscains qui, au milieu du XIIIe siècle, enseignaient aux écoles de Paris, parvenaient à concilier en effet les démarches rationnelles de la scolastique et les élans de cœur de saint Bernard. Ils voulaient, par les méthodes de la logique, discerner les lois de cette respiration créatrice et, en observant les aspects du monde, découvrir le Dieu de la nature, identique au Dieu de la surnature. Mais ils se laissaient porter par l'amour.

> Comme le feu se meut en s'élevant
> Par sa forme même, qui est faite pour monter
> Là où elle dure le plus en sa matière,
> Ainsi l'âme éprise entre en désir,
> Qui est mouvement spirituel, et jamais ne s'arrête
> Avant d'avoir joui de l'objet aimé.
> (*Purgatoire* XVIII, 28/33).

Or, au point de jonction entre l'amour et la raison, à la rencontre de la procession des lumières et de leur retour, du créé et de l'incréé, de la nature et de la surnature, de l'éternité et de l'histoire, s'établit le Christ, Dieu fait homme, « lumière née de la lumière », et pourtant charnel. Depuis Saint-Denis, l'art gothique s'évertuait à exprimer l'Incarnation, ébauchant peu à peu les images précises que la cathédrale du XIIIe siècle présente dans leur perfection. Celles-ci s'enracinent dans l'Evangile. Elles procèdent de tous les mouvements obscurs, qui déjà travaillaient au XIe siècle la chrétienté d'Occident ; elles se trouvaient en germe dans les premiers efforts du peuple fidèle pour forger une figure de Dieu qui lui ressemblât et où il pût trouver un remède propre à le délivrer de ses angoisses, dans l'espérance des Patarins de Milan qui, vers 1050, avaient tourné déjà leurs regards vers la croix, symbole pour eux de victoire sur la mort et sur les forces ténébreuses. Les groupes de pèlerins qui s'étaient mis en marche au lendemain de l'an mil vers Jérusalem, d'abord les mains nues, et dont le cheminement frayait la voie aux entreprises de croisade, préparaient eux aussi l'éclosion des figures gothiques du Verbe incarné. Au retour, parlant de la Judée, du lac de Tibériade, où le Maître avait conduit ses amis, racontant qu'ils avaient touché de leurs mains le tombeau du Christ, qu'ils avaient cru voir Jésus lui-même, les voyageurs de la Terre sainte incitaient les hommes d'Eglise à découvrir peu à peu, sur la face de l'Eternel, les traits du Fils de l'homme, et à progressivement leur ménager une place au sein des liturgies soumises et de la psalmodie modulée des cloîtres. Déjà les réformateurs de 1100 ne suivaient plus les patriarches de l'Ancienne Loi, mais les apôtres, trouvaient nourriture dans les Actes, dans saint Matthieu qui leur parlait de la pauvreté. « Les divers itinéraires que les frères ont décrits et qu'on appelle la règle de saint Basile, de saint Augustin, de saint Benoît, ne sont pas le fondement même de la vie religieuse ; ils ne sont que des boutures. Ils ne sont pas la racine mais la frondaison. Il n'y a qu'une règle de foi et de salut, une règle première et essentielle, dont toutes les autres découlent comme des ruisselets d'une même fontaine : le Saint Evangile que les apôtres ont reçu du Sauveur. Agrippez-vous au Christ, la vraie vigne dont vous êtes les sarments. Efforcez-vous, dans la mesure où lui-même vous l'accordera, d'observer les préceptes de son Evangile. Ainsi si l'on s'enquiert de votre état, de votre règle, de votre ordre, vous répondrez que vous êtes sous la règle première et essentielle de la vie chrétienne, l'Evangile, source et principe de toutes les règles. » L'homme de foi qui rédigeait vers 1150 ce prologue de la règle de Grandmont exprimait ce que sentaient de manière encore confuse les plus évolués des chevaliers et des bourgeois. Pierre Valdo découvrit sa vocation dans l'Evangile; le Christ invita lui-même François d'Assise à refuser les richesses et à parler aux pauvres; et le pape Innocent III se persuadait qu'il tenait son pouvoir des mains mêmes de Jésus: il trouvait dans la volonté du Maître justification de ses actes. Tout ce flot qui sourd au plus profond du peuple, qui naît de l'affinement de la sensibilité et du progrès de la culture, établit au centre de l'art des cathédrales la figure du Dieu vivant. On peut penser que le catharisme même dut le plus clair de son succès aux ambiguïtés de son vocabulaire: il se montrait vêtu d'un manteau d'évangélisme qui masquait son refus radical de l'Incarnation. L'Eglise romaine l'en dépouilla pour en détourner les foules. Celles-ci se mirent à suivre François d'Assise, qui construisait les premières crèches. La catholicité triomphe dans les chants de Noël.

A vrai dire les théologiens qui créèrent l'art gothique ne se représentaient pas le Christ comme un enfant, mais comme un roi, souverain du monde. Les monuments que les rois de France aidèrent à construire l'ont présenté comme un Docteur couronné et l'ont bientôt montré sur un trône, couronnant la Vierge, — Sa mère mais aussi Son épouse, — la femme, mais aussi l'Eglise. Car les constructeurs du dogme avaient finalement justifié, par le rôle que Marie avait joué dans l'incarnation, la place maîtresse dont la Mère de Dieu s'était insensiblement emparée, au cours du XIIe siècle, au sein des croyances laïques. Ils admirent que son image vînt rejoindre celle de Jésus au centre de leur théologie — au centre du décor de la cathédrale. Et comme, dans la première moitié du XIIIe siècle, ce n'étaient pas les dames des assemblées courtoises qui proposaient à l'artiste ses thèmes, comme il écoutait les seigneurs de l'Eglise, le roi, ses évêques et les théologiens, il ne figurait pas la tendresse de Notre Dame, ni sa douleur, il la représentait dans la gloire. L'Incarnation n'est pas une fête populaire, c'est un mystère. Les sculpteurs et les verriers situèrent d'autant plus haut en majesté l'image de la Vierge que, pour les savants de l'école, Marie symbolisait aussi la Nouvelle Loi, achèvement de l'Ancienne. En elle, l'humanité s'unit à Dieu. Elle est le lieu précis des noces mystiques entre l'âme et son Créateur. Elle représente concrètement le corps rassemblé de l'Eglise. Car l'épouse en qui Dieu s'est fait chair, n'est-ce pas l'Eglise elle-même, fortifiée contre l'hérésie? Le couronnement de Marie dans la cathédrale célèbre en fait solennellement la souveraineté de l'Eglise romaine.

De celle-ci, l'évolution de l'iconographie mariale suivit pas à pas les progrès et le triomphe. En 1145, le portail royal de Chartres était encore exaltation de la puissance du Dieu roman. Il établissait l'image de celui-ci en son centre, dans les gloires du Dernier Jour, victorieux des ténèbres. Mais devant les succès du catharisme, il affirmait aussi que ce Dieu s'était incarné et représentait sur l'un des tympans latéraux les scènes évangéliques du temps de Noël. Si la première image monumentale de la Mère de Dieu parut à ce moment dans la cité de la Beauce, c'est que le culte de la Vierge y prenait assise sur de vieilles traditions qui montaient du temps carolingien, de ces grandes semailles de spiritualité que les rois francs, avec les moines, avaient jetées par la Neustrie. Charles le Chauve avait offert à l'église de Chartres des beaux morceaux d'étoffe qu'on lui rapportait d'Orient. On voyait en eux depuis lors la tunique que Marie avait portée lorsque l'ange Gabriel était venu lui faire salutation. Eblouies, des cohortes de soudards et de paysans se prosternaient devant cette merveille. On les conduisait dans la crypte; ils y découvraient, sur un trône, en majesté, l'effigie de la Vierge. Lorsque, après Suger, on cessa d'enfouir les châsses dans l'obscurité des sanctuaires souterrains, lorsqu'on les plaça dans la pleine lumière de Dieu, offertes, éclatantes, à tous les regards, le prélat qui conçut le portail royal fit reproduire dans la pierre cette statue-reliquaire, sur le tympan de la porte occidentale, au milieu du récit de l'Enfance. Ce récit toutefois se développait en accompagnement discret; humbles comparses, les bergers d'Ile-de-France paraissent aveuglés par l'éclat d'une autre vision surnaturelle, par la figure intemporelle de la Mère de Dieu qui surgit du mystère; hiératique comme à Torcello, mais assise, la Vierge est le « trône de Salomon », le « siège de la divinité » que célébrait en ce temps même Pierre le Vénérable. Un peu plus tard, les décorateurs de Laon utilisaient encore pour célébrer Marie les symboles de la théologie des concordances: ils exprimaient sa virginité par des préfigures bibliques, le buisson ardent, la toison de Gédéon, les Hébreux dans la fournaise.

L'étape décisive fut franchie à Senlis en 1190, à l'époque précise où sous la férule pontificale l'Eglise commençait à durcir son action. Elle partait au combat proclamant l'Incarnation de Dieu. Elle magnifiait la Vierge qui avait été l'instrument de ce mystère et s'accoutumait à voir en elle sa propre image. Pour la première fois, le porche d'une cathédrale fut ainsi tout entier consacré à la Mère de Dieu. Il décrivit ses funérailles, ou plutôt le passage de son être de la vie terrestre à la gloire; car, selon les croyances orientales que venait d'accueillir la chrétienté latine, la Vierge n'est pas morte; elle dort, et bientôt des anges viendront prendre son corps, l'emporter vers le ciel, le soustraire au sort commun des créatures charnelles. Enfin, les clercs de Senlis imaginèrent de placer, au sommet du tympan, Marie et Jésus côte à côte sur un même siège royal: le Christ a pris sa mère à sa droite; il l'associe à sa royauté. Cette sculpture, en fait, illustrait simplement les liturgies de la fête de l'Assomption, où l'on chantait deux des séquences du psautier: « La reine s'est assise à Sa droite dans un vêtement d'or »; « Il a posé sur sa tête une couronne de pierres précieuses. » Conçu à l'époque même où le pape Innocent III revendiquait pour l'Eglise rassemblée derrière lui la souveraineté universelle, le thème se répandit très vite. A Notre-Dame de Paris vers 1220, il revêtit ses formes les plus parfaites.

Cependant, ici encore, il demeurait cantonné sur l'un des côtés du portail. Alors que, trente ans plus tard, quand la cathédrale de Reims s'acheva, des figures mariales y furent de toutes parts distribuées. Le premier maître d'œuvre, Jean d'Orbais, avait laissé le projet d'un porche dont la partie centrale eût été réservée aux saints protecteurs de l'église épiscopale. On le modifia pour que la Vierge, souveraine médiatrice, vînt remplacer ces intercesseurs mineurs. Elle est au milieu d'eux à la porte du nord où ils sont relégués, renforçant leur action salvatrice. Elle reparaît à la porte du sud, dans la scène de la Fin des temps, où sa présence approfondit le sens mystique de la vision apocalyptique. Et maintenant, comme à Senlis, l'ensemble de la démonstration de vérité que la façade de la cathédrale offre aux regards du peuple s'ordonne autour de sa personne. Marie se dresse au trumeau de la porte centrale. Les statues monumentales de l'Annonciation, de la Visitation, de la Présentation au Temple, celle du roi David, son ancêtre, lui font escorte. Les voussures racontent son histoire humaine, en même temps qu'elles proposent des images symboliques de sa virginité. Salomon et la reine de Saba portent préfiguration de ses noces avec le Christ Roi. A la rose de la Création répond la rose occidentale, dédiée à son Assomption. Enfin, au sommet du gâble, Jésus, de Ses propres mains, vient conférer à Sa mère l'insigne de la puissance souveraine. Nouvel Adam, il couronne la nouvelle Eve, Son épouse. N'assure-t-il pas, par son incarnation, le triomphe de l'Eglise en ce monde?

Adam et Jésus, son créateur, se ressemblent. L'interrogation qui, du fond des âges, tenait l'homme prosterné devant le mystère du monde et devant sa propre angoisse — quel est le visage de Dieu? — trouvait dans la science des théologiens de France sa réponse : c'est le visage de l'homme. Au portail royal de Chartres, cette réponse, on l'a vu, fait frémir des premiers mouvements de la vie les traits des faces romanes que figeait jusqu'alors dans une raideur hiératique l'abstraction sacrée. Un souffle franchit leurs lèvres, leurs paupières abritent un regard que n'aveuglent plus les extases. Depuis lors, cette même vie fuse de toutes parts, délivre les corps sculptés de la gangue de la colonne, et les établit dans la souplesse des postures vraies, sous les plis de ces robes de drap que l'on apprêtait en Flandre pour les seigneurs.

Dès l'instant où les personnages du drame liturgique se multiplièrent sur le théâtre dressé aux porches des cathédrales, il fallut singulariser chacun d'eux. Sans doute portaient-ils des insignes distinctifs, les attributs particuliers que l'iconographie chrétienne donnait à chaque prophète, à chaque précurseur, à chaque apôtre. Mais bientôt, on voulut les doter de visages personnels capables d'exprimer une psychologie singulière. Les œuvres littéraires offertes pendant le XIIIe siècle aux chevaliers maniaient un vocabulaire fort pauvre. La langue de Joinville peint magnifiquement l'animation des combats et le chatoiement bigarré des assemblées courtoises, alors qu'elle balbutie lorsqu'il s'agit de décrire un caractère. Du moins, dans la pratique de la vie, dans les enquêtes menées pour préciser la répartition des droits féodaux ou pour fixer des points de coutumes, et parfois même devant leurs confesseurs, les seigneurs, grands et petits, affinaient peu à peu leurs facultés d'analyse. Quant au monde des écoles, il s'était accoutumé à l'introspection, sur quoi la morale d'Abélard déjà prenait assise. Toute théologie débouche sur une éthique ; elle implique une exploration de l'âme, un classement de ses capacités et de ses vertus. Et comme le système de pensée des docteurs se fondait sur le principe de l'unité de l'univers, comme il affirmait l'étroite cohésion des trois composantes de l'être humain — l'esprit, l'âme et le corps — il considérait naturellement que les traits d'une physionomie portaient la traduction fidèle des tendances individuelles. Toutefois, la démarche scolastique entendait résoudre les particularités de chaque individu dans les formes communes à son espèce ; elle s'appliquait à distinguer des types. Et précisément, ce sont des types d'hommes que représente le visage des statues.

Même dans les cathédrales qui furent édifiées très vite, il fallut tailler tant de figures que l'on répartissait le travail entre divers ateliers. De ces équipes d'artistes on découvre très mal les structures, et les historiens de l'art ont peine à délimiter la part qui revient à chacun d'eux. Certains étaient dirigés par des artistes du plus haut éclat, d'autres par de plus ternes. Les plus beaux ensembles sculptés furent probablement exécutés sous le contrôle des très grands maîtres d'œuvre, responsables de tout le chantier, et qui coordonnaient l'ensemble de la création artistique. Il est permis de penser que Jean de Chelles surveilla lui-même vers 1250, au portail du croisillon nord de Notre-Dame de Paris, l'exécution de la Présentation au Temple. On peut aussi attribuer à l'atelier de Jean d'Orbais, le premier des architectes de la cathédrale de Reims, la plupart des statues de saints, d'apôtres et de prophètes qui furent établies après lui dans le grand porche. Elles sont parentes de celles du portail nord de Chartres, mais aussi, et sans doute plus étroitement, des figures que l'orfèvre Nicolas de Verdun avait disposées entre 1180 et 1205 à Klosterneubourg, à Cologne, sur la châsse des Rois mages, et à Tournai, sur celle de la Vierge. De l'ensemble cependant, Marie et Elisabeth réunies dans le groupe de la Visitation, l'Ange Gabriel et certains prophètes se distinguent; la draperie qui les revêt est plissée comme le voile dont la Grèce antique avait enveloppé ses déesses. Faut-il imaginer, après la croisade de 1204, une influence immédiate des modèles helléniques? En vérité, l'innovation majeure réside ici dans le mouvement qui anime le corps, qui le dégage de la frontalité et le porte en avant, comme celui des Victoires. Entre 1228 et 1233 furent taillées dans l'atelier de Jean Le Loup les statues de la Vierge de l'Annonciation, celles de la Présentation, Salomon, la reine de Saba, Philippe-Auguste. Elles sont proches de celles d'Amiens. Mais l'œuvre prend ici de l'expression, une souplesse dansante et de la grâce, et les visages revêtent une finesse, une diversité de nuances qu'ils n'avaient jusqu'alors nulle part présentées.

Tout le décor de Reims fut implanté vers 1237 à Bamberg dont l'évêque Egbert, beau-frère du roi Philippe de France, avait ouvert le chantier. Sur la clôture du chœur de Saint-Georges, un maître inconnu figura Jonas et Osée dans l'animation passionnée d'une dispute de docteurs; le regard brille du feu de la controverse; toute l'énergie des pionniers de la forêt allemande, des missionnaires, des croisés qui suivaient Parsifal, se projette ici dans un jaillissement de vérité.

LES PROPHÈTES JONAS ET OSÉE, STATUES DE LA CLÔTURE DU CHŒUR DE SAINT-GEORGES - VERS 1240.
CATHÉDRALE DE BAMBERG.

LA PRÉSENTATION AU TEMPLE, SCULPTURE AU PORTAIL DU CROISILLON NORD - VERS 1250.
NOTRE-DAME DE PARIS.

ADAM, DÉTAIL D'UNE STATUE PROVENANT DE LA CATHÉDRALE DE BAMBERG - VERS 1240. BAMBERG, MUSÉE DIOCÉSAIN.

JUDITH, STATUE DE LA FAÇADE NORD (PORTAIL DE DROITE) DE LA CATHÉDRALE NOTRE-DAME DE CHARTRES - VERS 1210.

SAMUEL, DÉTAIL D'UNE STATUE DE LA FAÇADE NORD (PORTAIL CENTRAL) DE LA CATHÉDRALE NOTRE-DAME DE CHARTRES - VERS 1210.

LA SERVANTE DE LA CHANDELEUR, DÉTAIL D'UNE STATUE DE LA FAÇADE - VERS 1240. CATHÉDRALE DE REIMS.

5

LA VIERGE ET LES RESSUSCITÉS

L'histoire distingue mal sous l'effet de quelles forces obscures Notre Dame parvint à supplanter les martyrs et les confesseurs à qui était primitivement dédiée chacune des cathédrales de France et à devenir de toutes celles-ci la seule et commune patronne. Il est permis de croire que l'irruption du culte marial dans l'âge gothique, tout comme l'orientation apostolique des mouvements de spiritualité qui le précédèrent de peu, comme l'érémitisme de la Chartreuse, comme l'ascétisme de Cîteaux et tant d'autres modèles qui renouvelèrent depuis la fin du XIe siècle les représentations religieuses, fut l'un des fruits de l'expansion de la chrétienté latine en Orient. La religion de Byzance possédait alors infiniment plus de richesse et de puissance créatrice que la religion des moines de la Gaule ou de la Germanie. En Orient se situaient les grands sanctuaires de la Vierge. Brodant sur les quelques pages qui parlent d'elle dans les Evangiles et les Actes, les couvents byzantins avaient inventé une suite d'anecdotes et toute une iconographie qui présentait au peuple le récit de sa vie. Là prit naissance le thème de la Dormition. Marie n'est pas morte. Dieu n'a pas voulu que la corruption charnelle attînt son épouse et mère. Elle s'est endormie dans la paix, et bientôt les envoyés de la puissance divine sont venus prendre son corps; ils l'ont éveillée; elle est montée au ciel pour s'asseoir à la droite de Dieu, Fils et Père. Environnée d'anges elle a pénétré dans la gloire, triomphalement, pour s'établir au sommet des hiérarchies célestes, dans l'immédiate proximité du foyer d'où rayonnent toutes les grâces. De la cour divine, elle est la première dignitaire, celle dont le Seigneur écoute avec faveur les conseils. Elle veille sur tous les hommes, elle plaide pour eux, elle les attend. Comme elle, tous accéderont un jour à la lumière. Le récit de la Dormition qu'illustrent les sculpteurs de Senlis et de Paris fournit un argument de plus à la prédication d'espérance. Vivant déjà parmi les trônes et les dominations, la Mère de Dieu porte l'assurance de la résurrection.

Au XIIIe siècle, les peuples vivent dans la terreur de la mort. Jamais l'historien ne pourra distinguer clairement quels troubles agitaient l'âme des humbles, de tous les paysans qui jamais ne mangèrent à leur faim et que bousculaient l'épidémie et les équipées cavalières. Du moins entrevoit-il que la société noble, qui plaçait le courage au premier rang des vertus de son éthique, se trouvait en fait dominée par un sentiment plus puissant que tous les autres, la peur. Les chevaliers reprenaient assurance dans la grande salle en entendant chanter les exploits de Roland et de Guillaume d'Orange, mais ils tremblaient sur les vaisseaux qui les conduisaient en Terre sainte, ils tremblaient au jour des batailles et des tournois en lançant leur monture dans les grandes galopades alternées qui les jetaient les uns contre les autres. Tous les progrès de la cuirasse et de la fortification naquirent alors de cette crainte. Elle gouverne entièrement la religion populaire. Pour combien d'hommes, pénétrer dans l'église, s'agenouiller devant la croix, toucher les reliques, prononcer les formules, accomplir les gestes rituels, signifiait-il autre chose que se fortifier contre l'angoisse de mourir?

Tous vivent environnés de morts. La solidarité du groupe familial ne rassemblait pas seulement en effet, dans le grand jour du monde présent, des frères et des cousins. Elle unissait les vivants à des ombres innombrables, à la foule des parents qui les avaient précédés. On rappelait sans cesse leurs noms et leurs actes passés, et leur image apparaissait parfois dans les hallucinations du songe. Tout chevalier se sentait porté par la lignée de ses ancêtres et la tige de sa race s'enracinait sur une nécropole, sur des tombeaux qu'environnait un culte permanent. Lorsqu'il se sentait vieillir ou lorsqu'il s'engageait dans une aventure dangereuse, il multipliait les actes propitiatoires. Il offrait aux prêtres et aux monastères une part de ses biens, achetant ainsi la faveur des saints et désarmant la colère de Dieu. Le grand souci de l'existence, l'objet des soins les plus attentifs et des dépenses les plus lourdes, consistait à se protéger contre le trépas.

Cependant la religion, dont l'art des cathédrales est l'illustration, n'était pas la religion du peuple. C'était celle d'une toute petite élite d'intellectuels dont la ferveur parvenait à réprimer les tremblements de la chair, à s'abreuver aux lumières spirituelles et à s'établir dans le ferme espoir de la résurrection. Le Christ avait vaincu la mort : la religion des clercs la niait. Au lever de chaque aurore les rayons du matin de Pâques illuminaient le sanctuaire et sur les registres superposés des tympans, où s'étage le spectacle du Jugement dernier, l'humanité rachetée sort des sépulcres comme d'un mauvais rêve. La face des ressuscités se délivre des ombres de la nuit, leurs yeux s'ouvrent. Ils repoussent le linceul. Ils étirent au soleil un corps de perfection. Ils entrent dans la vie véritable.

Lorsqu'à l'intérieur de l'église on commença de décorer la tombe des prélats et des princes et d'y placer l'image du défunt, le clergé de la cathédrale ne l'admit que transfigurée. L'effigie funéraire de l'évêque Evrard de Fouilloy à Amiens, celle du duc guelfe Henri le Lion à Brunswick, celles que le roi saint Louis fit sculpter à Saint-Denis, auraient pu se placer tout aussi bien dans les porches, parmi les statues des prophètes. De fait, leur vêtement ne recouvre pas un cadavre couché sur le lit funèbre; ses plis tombent droit le long d'un corps dressé, déjà levé vers les lumières de l'au-delà. Elles portent, comme le roi David ou Salomon, un visage de confiance et de plénitude, sans rides et sans souillures, paisible. On lisait dans saint Augustin : « Dieu s'est fait homme pour que nous autres devenions comme des dieux. » Puisque le Christ de l'Incarnation et de la Résurrection entraîne avec Lui vers le Père tout le peuple des mortels, puisque la mort n'est qu'un passage et la tombe le lieu de germinations obscures où chaque être charnel se prépare à éclore à la gloire, l'art de la cathédrale montre le corps des défunts dans la forme accomplie et intemporelle dont la foi les sait déjà revêtus.

LA VIERGE ET LES RESSUSCITÉS

1. Le Portail de la Vierge (tympan de la porte gauche) – 1210-1220. Notre-Dame de Paris.
2. Scènes de la vie de la Vierge, au tympan sud du Portail Royal – 1145-1150. Chartres, cathédrale Notre-Dame.
3. Le couronnement de la Vierge, au tympan du portail occidental – fin du XIIe siècle. Senlis, cathédrale Notre-Dame.
4. L'Annonciation, au portail occidental (porte droite) – vers 1225. Amiens, cathédrale Notre-Dame.
5. Le Jugement Dernier, au tympan du portail occidental (porte principale) – milieu du XIIIe siècle. Bourges, cathédrale Saint-Etienne.
6. Le Jugement Dernier, au tympan du portail de la façade nord – XIIIe siècle. Reims, cathédrale Notre-Dame.

1

2

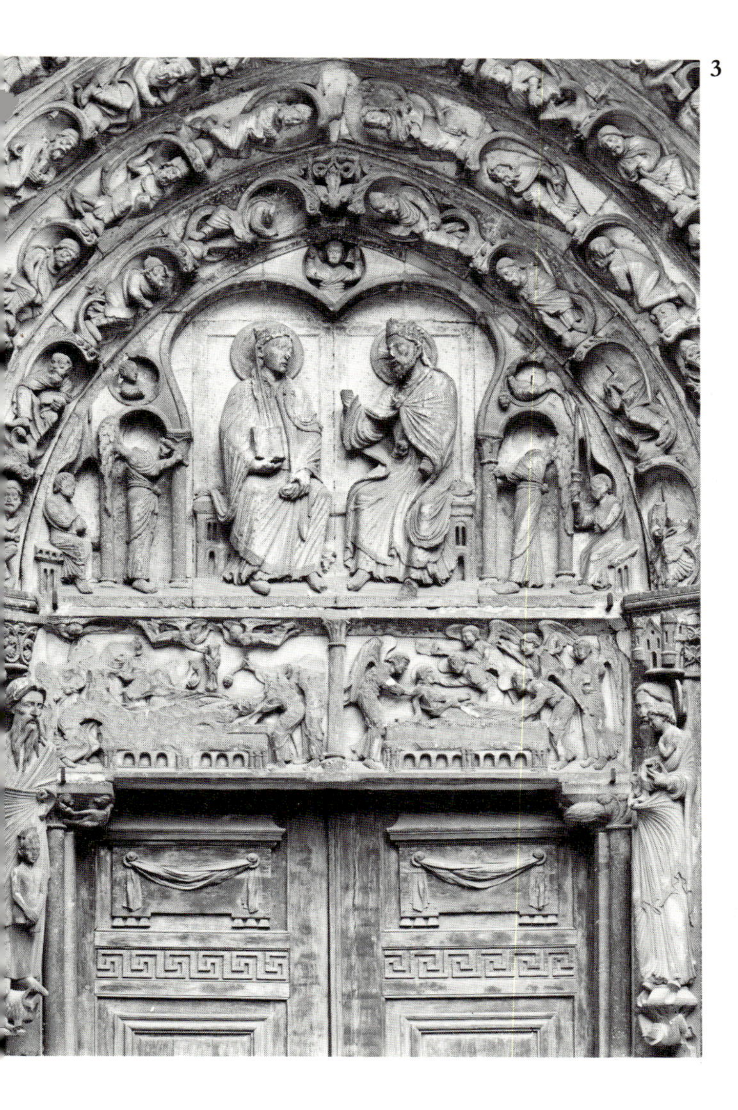
3

4

5

6

LA RÉDEMPTION

L'image que les théologiens du XIIIe siècle se forment de la Création et de l'Incarnation relève l'univers de sa culpabilité, elle le délivre des terreurs. Pour une part au moins de la chrétienté d'Occident, celle qui émerge peu à peu de la rusticité, le péché ne se rachète plus par des rites, selon des marchandages tarifés, et ce n'est plus l'intervention magique de la puissance divine qui permet, dans les épreuves rituelles de l'ordalie, de distinguer les criminels de leurs victimes. L'homme sait maintenant qu'il gagne son salut par des actes — davantage encore par ses intentions, par l'amour et par la raison qui lui révèlent son identité à Dieu, qui l'entraînent à revenir à Lui et à L'imiter plus parfaitement. Le péché cependant demeure. Par lui s'obscurcit la matière. Il rend la chair pesante et fait obstacle à la lumière incréée. Jésus seul en ce monde l'a vaincu. Lui seul peut sauver l'homme. Voici pourquoi l'on doit suivre le Bon Maître, s'appliquer à porter comme lui sa croix.

Les champions de la foi rénovée, tous les Frères mendiants, répandent partout ce message. « Ne me parlez pas, » dit saint François d'Assise, « d'aucune autre forme de vie que celle que le Seigneur lui-même m'a miséricordieusement montrée et donnée; la règle et la vie des Frères mineurs consiste à observer les Saints Evangiles de notre Seigneur Jésus-Christ. » Les Evangiles dans leur simplicité, *sine glossa*, sans commentaire. Et saint Dominique s'est voulu d'abord « homme évangélique ». La prédication de vérité, qui sait maintenant accueillir la joie, met toutefois l'accent sur la pénitence. Au bout du chemin, elle invite à épouser les souffrances de la Passion. Saint François y parvient sur l'Alverne. « Quelque temps avant sa mort, on a vu notre frère et père dans l'état du Crucifié, portant sur son corps des blessures, qui sont véritablement les stigmates du Christ. » « Aux premières heures du jour, François, à genoux, les bras en croix et les yeux fixés vers l'orient, adresse au Sauveur cette supplication: « O Seigneur Jésus, il y a deux grâces que je te demande de m'accorder avant ma mort. La première est que, autant que cela se pourra, je ressente les souffrances que toi, mon doux Jésus, a dû subir dans la Passion cruelle. La seconde, que je ressente dans mon cœur, autant que cela se pourra, cet amour démesuré dont tu brûles, toi, Fils de Dieu, et qui te conduisit à souffrir volontiers tant de peines pour nous, misérables pécheurs. » Et lorsque, cinquante ans plus tard, le roi saint Louis voulut s'engager sur la même voie, c'était, dit Joinville, qu'« il aimait Dieu de tout son cœur et en imitait les œuvres; il y parut en ce que, de même que Dieu mourut par amour pour son peuple, notre saint roi mit aussi son corps en aventure de mort plusieurs fois pour l'amour du sien ». Pour ceux qui ont part aux richesses nouvelles, le XIIIe siècle est bien le temps des conquêtes joyeuses. Il avance dans l'euphorie de ses succès. Mais la prédication de pénitence suit pas à pas cette marche, afin qu'elle ne dévie pas et qu'elle conduise le peuple de Dieu vers la Terre promise. Comme les guides de la croisade, la sculpture de la cathédrale est marquée du signe de la croix. Elle dresse les images de la Passion. Que l'on n'oublie pas toutefois qu'elle montre en eux des symboles de victoire, affirmant que le Dieu fait homme a lui-même traversé la mort et que, dans le triomphe de la résurrection, le Christ entraîne avec lui l'humanité tout entière vers les véritables joies qui ne sont pas d'ici-bas.

Lorsqu'elle se prit à méditer sur les souffrances de Dieu, la chrétienté latine épousait en fait une inclination spirituelle qui, bien avant elle, avait entraîné celle d'Orient. Depuis le XIe siècle, le clergé byzantin invitait les fidèles à discerner dans les rites de la messe une représentation concrète de la mort, de l'ensevelissement et de la résurrection du Christ; cette liturgie mettait en scène tous les épisodes de la vie du Sauveur; la célébration eucharistique devenait de la sorte un résumé de tout l'Evangile. Elle en rassemblait les récits, dont bientôt l'iconographie des fresques macédoniennes vint livrer une transcription visible. De ces images, on vit bientôt le reflet à Cefalù. Les croisés regardèrent ces figures, tandis qu'ils découvraient en Terre sainte une Jérusalem plus vraie que les symboles eschatologiques dont les mirages avaient déclenché le grand élan de 1095. Voici que, en l'an 1204, des bandes de guerriers francs prirent Constantinople. Evénement décisif: on crut qu'il allait abolir le schisme, ramener enfin à l'unité les deux parts divisées du corps du Christ. En tout cas cette conquête fut l'occasion pour l'Occident de s'approprier des merveilles, toutes les reliques de la Passion que conservaient les sanctuaires de Byzance. Robert de Clari est ébloui par ces trésors: deux morceaux de la vraie croix, le fer de la lance, les deux clous, la tunique, la couronne d'épines. Ainsi, l'attirail entier du supplice sortait du rêve, devenait réalité. Pièce à pièce, les chevaliers pillards l'achetèrent ou le volèrent, l'emportèrent avec eux: ainsi le comte Baudoin de Flandre put-il ramener près de son château de Gand quelques gouttes du sang du Christ. Depuis des siècles, la foi rustique de l'Occident trouvait aliment dans les débris douteux que renfermaient les châsses des cryptes abbatiales. Aux reliques que ramenaient les aventuriers de la croix, et qui paraissaient beaucoup plus authentiques, il fallait un asile digne de leur gloire. On rénova, on embellit donc les chapelles. On en éleva de nouvelles. « Le roi saint Louis avait la couronne d'épines de notre Seigneur Jésus-Christ, et un grand morceau de la sainte croix où Dieu fut mis, et la lance par quoi le côté de Notre Seigneur fut percé, et beaucoup de reliques précieuses qu'il acquit. Pour elles il fit faire la Sainte-Chapelle de Paris, en laquelle il dépensa bien quarante mille livres tournois et plus. Il orna d'or et d'argent et de pierres précieuses et d'autres joyaux les lieux et les châsses où les saintes reliques reposaient, et l'on croit que ces ornements valent bien cent mille livres et plus. » On disposa sur les reliquaires un ornement figuratif démontrant à chacun l'origine, le sens et les vertus des restes merveilleux que la châsse avait mission d'abriter. La fièvre décorative qui saisit le premier XIIIe siècle vient donc tout droit du sac de Constantinople.

Invités à célébrer les reliques nouvelles, les artistes en effet durent inventer. A Byzance, que les croisés venaient de saccager, ils prirent cette fois des modèles iconographiques. Pour présenter de la souffrance de Dieu des figures moins abstraites, capables de remuer l'âme et de la mieux disposer à la pénitence — car il s'agissait bien maintenant de convaincre les foules, et l'Eglise militante et prédicante de la répression catholique entendait toucher le peuple au plus profond — les ordonnateurs des programmes artistiques puisèrent dans les récits vivants des Evangiles synoptiques et choisirent au XIIIe siècle, comme l'avaient fait quelques générations plus tôt les artistes orientaux, d'illustrer par la sculpture et le vitrail les épisodes de la Passion: sur l'album de Villard de Honnecourt, on peut voir Nicodème déclouant les pieds du Christ, et l'on sait que le projet primitif du porche de Reims fut modifié afin que parût, pour la première fois au portail d'une cathédrale, le spectacle du Calvaire. Dans la même intention, on accentua les corrections que Suger avait apportées au thème roman du Jugement dernier, si bien que sa signification fut radicalement transformée. A Chartres, le Christ du retour n'apparaît plus comme un souverain glorieux, mais dans l'humilité d'un homme dépouillé. Il expose ses plaies, et les instruments de la Passion — signes du Fils de l'homme selon l'Evangile de Matthieu — l'entourent: la lance, la couronne d'épines et le bois de la croix. Toutefois, ce ne sont pas des bourreaux qui les portent, ni le Christ lui-même, mais des anges, et ceux-ci les présentent comme des reliques: ces créatures de lumière n'osent point les toucher de leurs mains; un linge sacré les protège. Car le théologien qui conçut cette scène ne se proposait pas de figurer la douleur physique du Sauveur, et moins encore l'affaissement de Son corps supplicié. La croix pour lui n'était pas un gibet, elle demeurait un signe de gloire, et les plaies de Jésus ne portaient pas témoignage de ses tourments. « Elles proclament sa force, » dit saint Thomas d'Aquin, « il a triomphé de la mort. »

A cette époque en effet, la pensée des docteurs de l'Eglise combattante ne s'attarde pas au Vendredi saint, elle se fixe sur la victoire de Pâques. A Reims, au revers du portail où se sont ouvertes des verrières afin que lui aussi livrât passage aux irradiations divines, la flore des halliers et des vignobles entoure les figures de la rédemption. Ce sont bien des personnages, et non plus des symboles; ce ne sont pourtant pas encore les acteurs d'un drame. Toutes ces statues ont mission de représenter les valeurs spirituelles dont le Calvaire est le signe; elles en fournissent les équivalences eucharistiques. Parce que le christianisme du XIIIe siècle est, plus que jamais, ecclésial et, contre les hérétiques, exalte les fonctions du sacerdoce, parce que l'art gothique fut créé par des prêtres, les statues de Reims distribuent la communion, le sacrement majeur qui élève les ministres du culte catholique bien au-dessus des Parfaits cathares et des prédicants vaudois. Elles transfèrent cet événement, la mort de Jésus, dans l'éternité des rites de l'Eglise, et dans la paix. Au-dessus de leur assemblée sereine, à l'étage de la rose, où aboutit vers 1260 l'invention iconographique, on remplaça à la dernière heure la galerie des rois qu'avait prévue le projet initial par une autre cohorte, celle des témoins qui virent apparaître le Christ après sa résurrection. Ceux-ci proclament sur les hauteurs, à la pointe du mouvement ascensionnel qui porte l'édifice entier vers le ciel, que la mort de l'homme est vaincue et que chacun doit célébrer dans la joie ce miracle. Ils disent l'espérance d'une humanité rachetée. L'Eglise romaine sait bien que le peuple laïque demeure tourmenté par l'angoisse de l'au-delà. Elle veut le persuader de sa délivrance. Ce qu'elle lui propose, c'est une « consolation » plus efficace que celle des Parfaits. A ceux qui acceptent de se confier à sa garde, elle promet qu'ils franchiront sans effroi le passage étroit qui mène à la lumière. Dans son *Cantique*, saint François avait loué le Seigneur « pour notre sœur, la mort corporelle, à qui nul homme vivant ne peut échapper; malheureux ceux-là seuls qui meurent en péché mortel, et bienheureux ceux qui ont accompli les très saintes volontés, car la seconde mort ne pourra leur nuire ». La mort ne compte plus; de tous ses pouvoirs, la résurrection l'a dépouillée.

L'Eglise permit aux plus puissants des hommes de ce temps d'établir leur sépulture à l'intérieur des sanctuaires et de faire figurer sur leur tombe une image de leur personne. A cette époque, les artistes commencent à décorer aussi des sépultures, et vers 1200 s'inaugure, dans l'oratoire des Templiers de Londres, le long cortège des gisants d'Europe. A Saint-Denis, saint Louis voulut faire de la basilique de Suger un mausolée où seraient exposés les monuments funéraires de ses ancêtres. Pierre de Montreuil reçut donc l'ordre d'aménager l'édifice et dressa les tombeaux dans la croisée du transept, comme des lits de parade. Cependant, il n'y coucha pas des cadavres, mais bien des statues-colonnes au visage anonyme et qu'imprègne la sérénité des rois de Juda. Par-delà la mort, ces rois et ces reines ont en effet rejoint, hors de la durée, le lignage charnel de Jésus. Car au regard de l'Eternel, la Passion et la Résurrection du Christ signifient-elles autre chose qu'une étape? Il convient de voir encore dans ces événements de l'histoire des signes, des préfigures. En vérité, la résurrection des hommes, et de chacun d'entre eux, existe de toute éternité dans la résurrection du Christ. Elle existe déjà dans leur propre mort. Celle-ci marque le retour de la lumière à son premier principe, le reflux de la créature vers son exemplaire divin. Voici pourquoi les gisants du XIIIe siècle n'ont point d'âge, ni de physionomie: délivrés de l'accidentel, ils sont revenus au type de l'espèce, c'est-à-dire à Dieu incarné. En eux, l'extase vers laquelle tendait saint Bernard trouve enfin le lieu de son accomplissement. Les ressuscités de Reims, qui sortent encore frémissants des ombres de la mort, portent sur leurs visages illuminés les traits mêmes du Fils de l'homme. Ceux du Christ montrant ses mains et son flanc, et pourtant resplendissant de gloire. Ceux du Dieu créateur. Le destin de l'homme s'achève dans la Rédemption. Mais la Rédemption et la Création, l'Incarnation les résume.

A l'intérieur de la cathédrale, la verrière reprend, pour l'exposer dans l'émerveillement des lumières, l'enseignement donné dans le porche. Le fidèle qui a franchi le seuil s'est haussé d'un degré vers la contemplation. Devenu fils de Dieu par l'incarnation du Christ, il participe à l'héritage, c'est-à-dire à l'illumination. Il a pénétré dans l'espace intermédiaire qui, disait Suger, n'existe ni dans le limon de la terre, ni dans la pureté du ciel. Dieu déjà lui parle, dans une clarté surnaturelle.

Ce fut encore une tâche immense que de tendre, parmi tant de fenêtres, le décor foisonnant des vitraux. Elle fut menée bon train mais par des ateliers multiples, qui tous n'étaient pas de même valeur. Souvent la composition perd de sa rigueur, le dessin de sa fermeté : ainsi à la Sainte-Chapelle. Toutefois ces faiblesses se résorbent au sein de la féerie éblouissante où se dissipent les facultés d'attention et qui retient l'émotion captive. Ici l'esthétique de Guillaume d'Auvergne trouve application : « La beauté invisible se définit, ou bien par la figure ou la position des parties à l'intérieur d'un tout, ou bien par la couleur, ou bien par les deux caractères réunis, soit qu'on les juxtapose, soit que l'on considère les rapports d'harmonie qui les réfèrent l'un à l'autre. » Couleurs choisies non point pour traduire fidèlement les apparences, mais en vertu des relations nécessaires qu'elles entretiennent mutuellement dans le corps irradié qui les rassemble. Comme la polyphonie de Pérotin le Grand, la verrière réalise l'accord d'une infinité de rythmes et d'innombrables modulations discordantes. Elle enchante l'univers. Elle opère véritablement la transfiguration du visible.

Les vitraux des basses verrières narrent ; ils offrent la matière d'un exposé doctrinal dont le discours s'organise à la manière de la leçon d'un maître. Le texte fondamental, le cœur de la sentence, est illustré dans le médaillon central ; autour de lui se juxtaposent en contrepoint les figures annexes de l'Ecriture qui lui répondent et qui, par un jeu d'allusions complémentaires, permettent d'en extraire toute la substance et de progresser du sens littéral au sens mystique. Strictement coordonnée par la logique scolastique, l'image démonstrative affirme la stricte cohésion du dogme.

Sur les vitraux du chœur de Saint-Denis, Suger avait disposé des scènes allégoriques dont la signification ne se découvrait qu'au terme d'un long cheminement sur les voies de la méditation anagogique. Du moins leur avait-il associé de claires illustrations de l'histoire de Jésus. Dans les cathédrales du XIIe siècle, l'iconographie évangélique se déploie sur les verrières avec plus de profusion que sur le théâtre des porches. Elle parle fort peu de la vie publique du Christ, et jamais de ses miracles. Elle puise presque tous ses motifs dans les récits de l'Enfance et de la Passion, dans les lectures liturgiques du temps de Noël et du temps de Pâques.

VUE INTÉRIEURE DES VITRAUX DE LA SAINTE-CHAPELLE A PARIS (1246-1248).

L'ANNONCIATION ET LA NATIVITÉ, VITRAIL DE L'ABSIDE - XIIIe SIÈCLE. LYON, ÉGLISE PRIMATIALE DE SAINT-JEAN.

LES ROIS MAGES ET LA FUITE EN EGYPTE, VITRAIL DE L'ABSIDE - VERS 1215. LAON, CATHÉDRALE NOTRE-DAME.

L'HOMME DANS LA VERRIÈRE

A Bourges, dix fenêtres basses associent par couples les scènes apologétiques pour en démontrer les cohérences essentielles. En une multitude de signes polychromes se trouvent ici confrontés la Passion et l'Apocalypse, la Nouvelle Alliance et le Jugement dernier. Cependant, dans les hauteurs de la cathédrale, les baies montrent, isolées, de grandes silhouettes. La cohorte des prophètes au nord, des apôtres au sud, vient sur le pourtour du chœur encadrer l'image de la Vierge-Eglise, affirmant une fois encore, mais dans une simplicité monumentale, l'unité de l'histoire, celle du dogme, et la concordance de l'Ancien et du Nouveau Testament. A Chartres, les mêmes prophètes, au milieu des saints, portent sur leurs épaules les apôtres. Les premiers rayons de l'aube installent chaque jour dans la lumière ces veilleurs au-dessus de la nuit charnelle. Ici se modère la profusion colorée où sont noyés, dans les étages inférieurs de l'édifice, les épisodes du récit évangélique et les figures complexes des analogies. Le verre coloré installe, souveraines, des figures d'hommes.

Ces hommes avaient vécu sur la terre. C'étaient pour la plupart les saints dont la cathédrale abritait les reliquaires, et tous les pillages de l'Orient venaient alors enrichir cette collection de débris sacrés. Amiens avait reçu en 1206 une partie du chef de saint Jean-Baptiste, elle lui dédia un vitrail. Il eut le sien à la Sainte-Chapelle, où l'on vénérait la partie postérieure de son crâne. Verrière de sainte Anne à Chartres, verrière de saint Thomas Becket à Sens. Les princes avaient payé de leur aumône tel ou tel de ces ornements. Ferdinand de Castille avait offert à Chartres le vitrail de saint Jacques, saint Louis celui de saint Denis. Ils marquèrent de leurs armoiries ces offrandes. On vit même parfois l'effigie des donateurs s'installer parmi celles des prophètes. Aux fenêtres de Reims, l'archevêque Henri de Braisne voulut voir paraître, sous les images du Christ, de la Vierge et des apôtres, la façade de sa cathédrale métropolitaine et celle des sept cathédrales de la province. Des emblèmes symboliques identifiaient ces sanctuaires aux sept églises d'Asie Mineure et aux sept anges qui, dans l'Apocalypse, reçoivent le message du Christ. Et le prélat se fit aussi représenter lui-même, avec tous ses suffragants réunis autour de lui comme en cour féodale. Tandis que la création gothique parvenait à son suprême épanouissement au sein des liturgies de l'Incarnation, déjà dans les hautes verrières de la cathédrale et, sur la façade, dans la galerie des rois, l'orgueil humain commençait d'envahir le champ des gloires célestes.

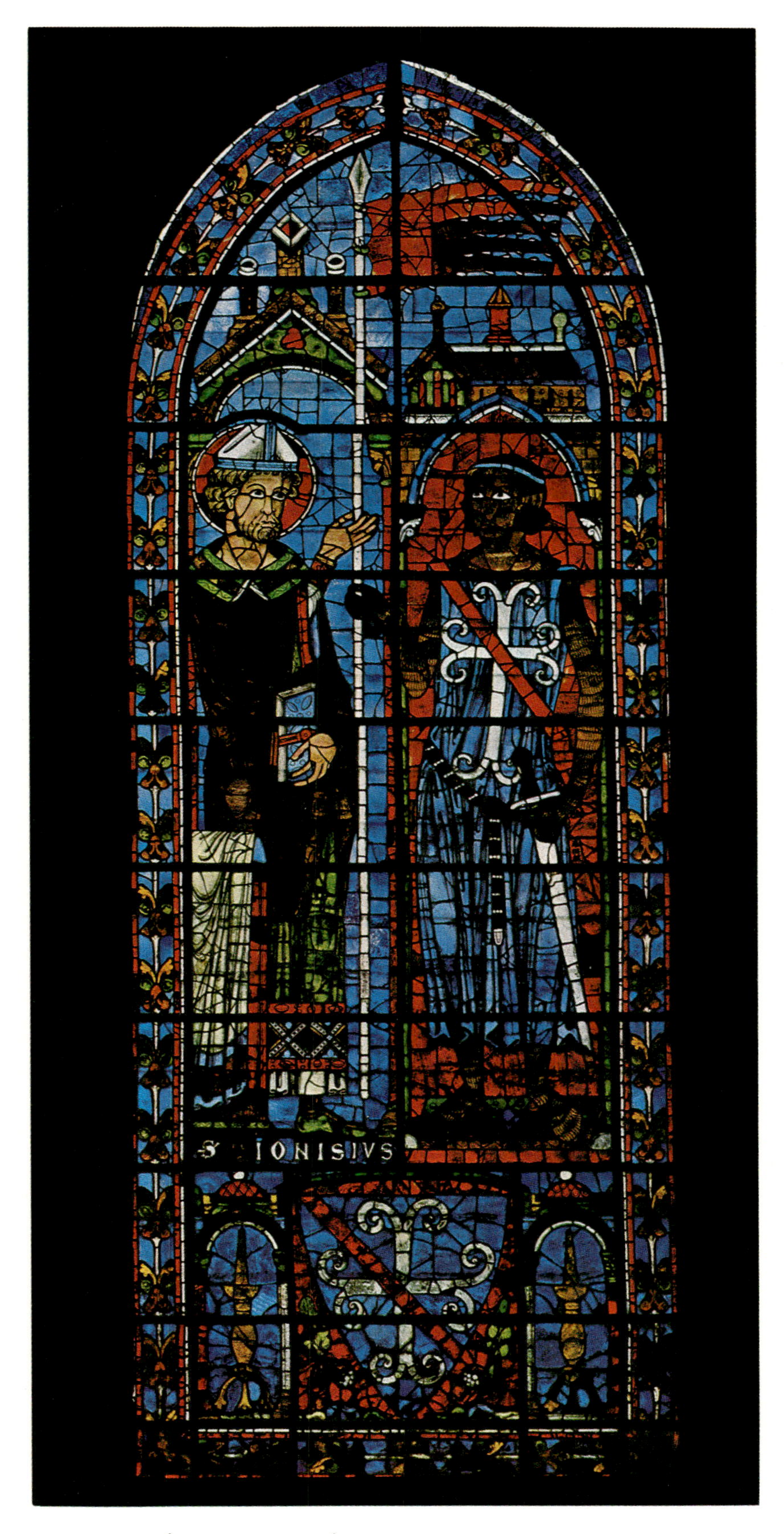

SAINT DENIS REMETTANT L'ORIFLAMME A CLÉMENT DE METZ, VITRAIL DU TRANSEPT SUD - XIIIe SIÈCLE.
CATHÉDRALE NOTRE-DAME DE CHARTRES.

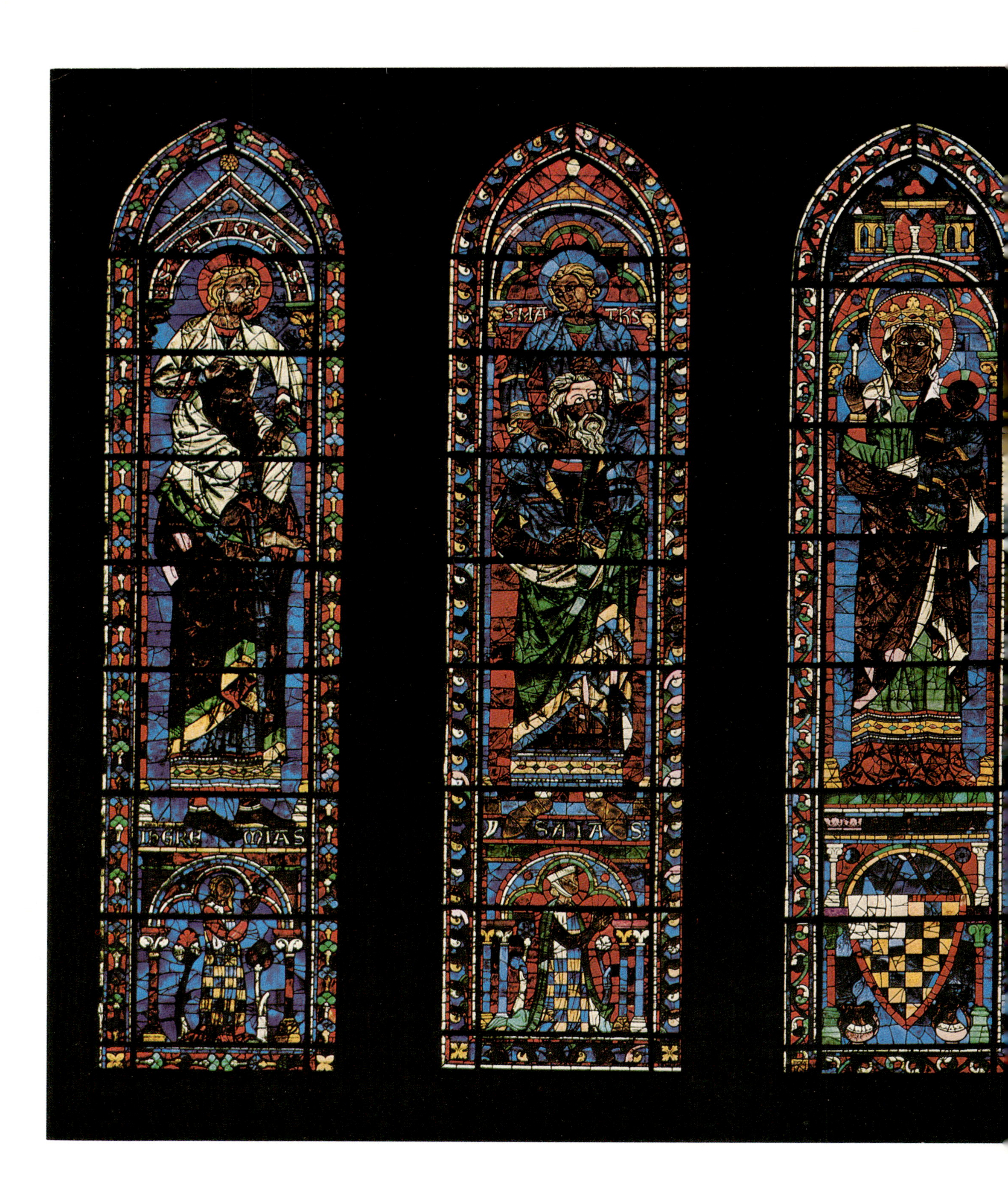
IHERE MIAS
SAIA S

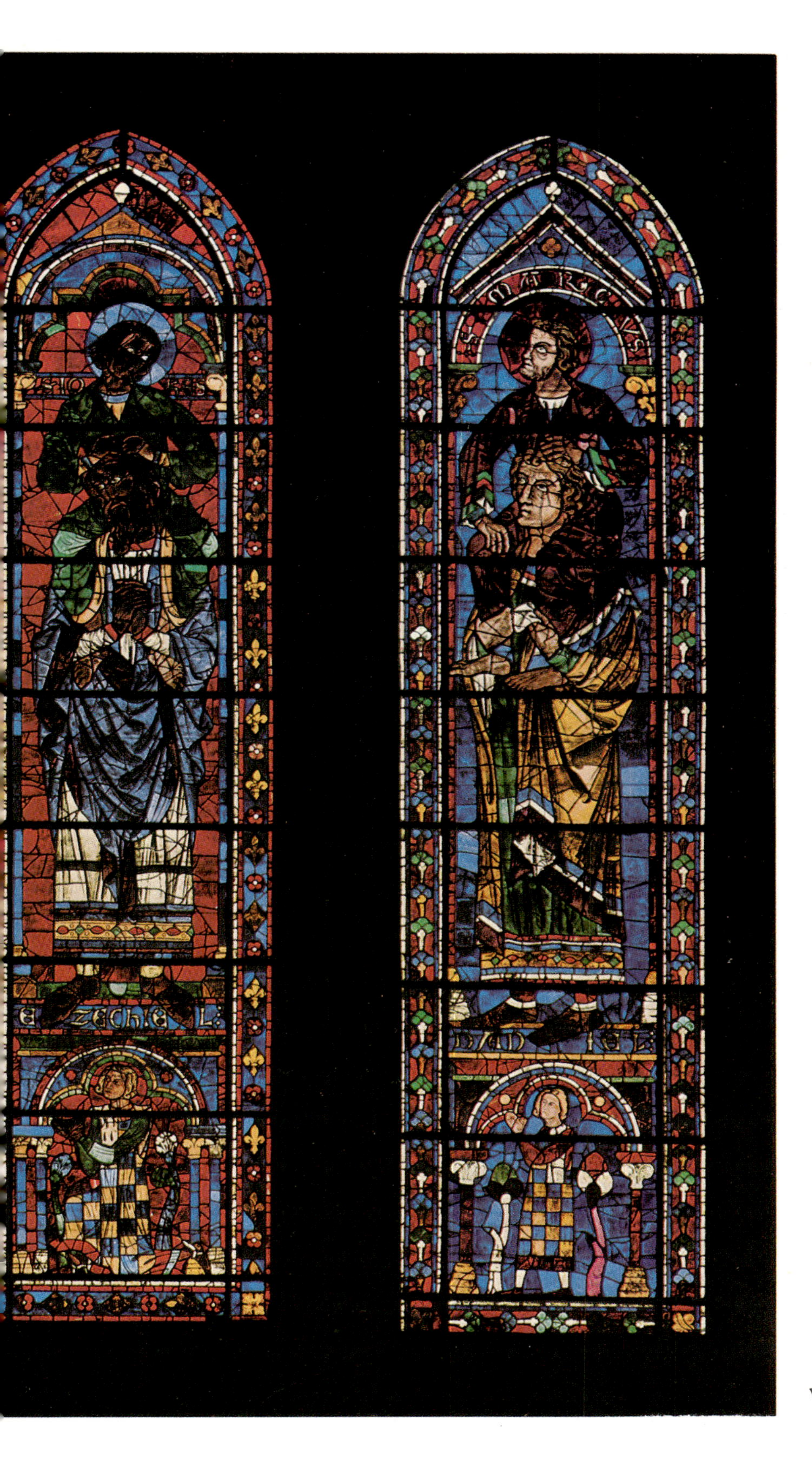

VITRAUX SOUS LA ROSE SUD - XIIIe SIÈCLE.
CATHÉDRALE NOTRE-DAME DE CHARTRES.

III

L'HOMME
1250-1280

LES PÉRILS DE L'ÂGE NOUVEAU

C'était à Paris, dans l'Université, que se forgeaient les meilleures armes du combat contre l'hérésie. Tous les prélats du monde chrétien étaient venus s'y instruire, les évêques scandinaves, ceux de Hongrie, ceux de Morée, de Saint-Jean-d'Acre ou de Nicosie, et les papes, ses anciens élèves, la protégeaient. Les étudiants, avec tout le peuple de la ville, s'étaient portés au-devant du cortège triomphal qui ramenait de Bouvines, dans des cages, les prisonniers de leur roi victorieux. Celui-ci avait vaincu l'empereur; il avait pris lui-même le surnom d'Auguste, il avait supplanté désormais tous ses rivaux. Voici qu'au succès capétien, les vertus de Louis IX venaient ajouter l'auréole de la sainteté. Saint Louis arbitrait les querelles des princes; il était le maître du Languedoc, où les inquisiteurs travaillaient en son nom à extirper les dernières racines de l'hérésie; son frère dominait la Provence, Naples, la Sicile. Autour de son trône toute l'Europe s'ordonnait. Il proposait à toute la noblesse du monde le modèle de la chevalerie nouvelle, du « prud'homme » vaillant aux armes, courtois envers les dames, mais craignant Dieu. Le cavalier émerveillé de Bamberg porte son visage. Tous les seigneurs de la chrétienté voulaient parler sa langue. L'irréel des romans bretons, la sensualité des troubadours allaient se perdant dans les allégories fraîches et dans les visions lucides du premier *Roman de la Rose*. Par l'école et par la royauté, Paris triomphait donc au milieu du XIIIe siècle et, avec Paris, l'art de France.

Cet art avait conquis de nouvelles provinces, à mesure que celles-ci, la Normandie, l'Artois, l'Anjou, étaient venues s'incorporer au domaine royal, ou bien, comme la Champagne, la Bourgogne et la Flandre, s'étaient inclinées devant la prééminence du souverain. Les évêques avaient introduit à Trondheim, en Castille, en Franconie, des formules dont, pendant leurs études parisiennes, ils avaient reconnu la profonde adhérence aux constructions de la théologie. Dominicains et Franciscains venaient de prendre le relais de Cîteaux pour les répandre: la basilique d'Assise, la Minerve à Rome sont des églises gothiques. La lutte antihérétique avait rompu la plupart des barrières qui s'étaient opposées au progrès de l'esthétique des cathédrales françaises. Elle l'implantait maintenant de force dans le Midi soumis, à Toulouse, à Clermont — bientôt à Limoges, à Narbonne, à Bayonne, à Carcassonne, dans toutes les citadelles du catharisme. Les sculpteurs de France s'étaient approprié le meilleur des arts concurrents et ornaient leurs victoires de ces dépouilles conquises. Dans la statuaire de Reims venaient se mêler des formes empruntées aux sarcophages romains, aux fonts baptismaux de la Meuse et à ces camées antiques dont on fabriquait maintenant des répliques à Paris. Les historiens de l'art s'interrogent sur ce qu'elle a peut-être emprunté à la Grèce elle-même.

Toutefois, depuis le milieu du siècle, on percevait dans Paris, au foyer de l'esthétique triomphante, les rumeurs d'un mouvement profond qui commençait à transformer le visage du monde. Les grands travaux sont terminés à la Sainte-Chapelle en 1248; en 1250, à Notre-Dame; en 1269, à Amiens; la grande sculpture de Reims s'achève en 1260. Or, n'était-ce pas précisément cette dernière date que, dans sa vision messianique de la destinée humaine, Joachim de Flore avait désignée comme devant être le temps d'un retournement de l'histoire? Il avait prédit pour 1260 l'avènement du troisième âge de l'humanité: après le règne du Père, après celui du Fils, viendrait le règne de l'Esprit; on allait voir s'établir l'Evangile éternel annoncé par l'Apocalypse, un âge d'or où le peuple de Dieu accéderait dans la joie à la pauvreté totale; il n'y aurait plus besoin de l'Eglise: composé tout entier de moines et de saints, le genre humain formerait une Eglise nouvelle, purifiée, spirituelle. Les écrits joachimites s'étaient partout répandus, et beaucoup commençaient à voir dans saint François le précurseur de ce temps de lumière. Dans l'Université de Paris, le théologien franciscain Gérard de Borgo San Donnino commentait l'œuvre de Joachim. Contre lui, un autre professeur,

Guillaume de Saint-Amour, composa peu après 1250 un traité *Des périls de l'âge nouveau.* Il y dénonçait les Mendiants, ces pseudo-prophètes, concurrents des maîtres séculiers. Derrière eux, il attaquait le pape, leur protecteur.

Ce qu'exprimait Guillaume de Saint-Amour, c'était, en vérité, la réaction du monde moderne contre les cadres trop stricts qui bridaient son essor, et cette réaction revêtait alors double forme. Le siècle, en premier lieu, regimbait contre la tyrannie de la monarchie romaine, et de ceux qui la servaient. La papauté voulait régir le monde et le tenir sous sa férule; elle avait déjà placé sur sa tiare une seconde couronne à fleurons, celle des rois de la terre, « en signe d'empire ». Elle prétendait en effet tenir de Constantin le Grand la domination suprême sur tout l'Occident. Byzance, conquise, était occupée par des chevaliers latins. Le pape avait vaincu l'empereur Frédéric II. Lorsque celui-ci mourut en 1250, la Curie romaine ne lui donna pas de successeur et laissa béant le grand interrègne. Elle entendait bien être seule à la tête du monde. Elle s'arrogeait sur l'ensemble de la chrétienté un pouvoir sans limites que rendait nécessaire, disait-elle, le péril hérétique: contre l'hérésie, en 1252, le pape Innocent IV autorisait les inquisiteurs à utiliser la torture. Pourtant, on le voyait clairement, la répression avait désormais fait son œuvre. Montségur était tombé. On ne trouvait plus nulle part un Cathare avoué. A quoi bon dès lors cette concentration d'autorité autour du Saint-Siège? Elle ne tendait plus qu'à ses intérêts temporels, à satisfaire l'avidité des cardinaux. Rome a succombé aux tentations terrestres que déjà dénonçait saint Bernard; elle est devenue la servante de Mammon. C'est elle, de toute évidence, la grande prostituée de l'Apocalypse.

> Ah! Constantin, de quels maux fut la mère
> Non pas ta conversion mais cette dot
> Que reçut de toi le premier pontife qui fut riche.
> (*Enfer* XIX, 115)

La condamnation de la tyrannie pontificale se trouvait inscrite au cœur des prophéties de Joachim de Flore, dans le rêve d'une irruption de l'Esprit saint dans le monde qui viendrait rendre inutile le ministère des prêtres. En 1252, le Saint-Siège interdit à Paris la lecture de l'*Evangile éternel.* Mais déjà, dans le sud de la chrétienté, dans les domaines arrachés au catharisme mais d'où n'avaient point été déracinés les ferments de l'esprit de pauvreté, toute une part de l'Ordre franciscain commençait à s'insurger, prêchait contre Rome le dépouillement total du Poverello et la liberté spirituelle. Déjà saint Louis, qui revenait de croisade, put entendre à Hyères un Frère mendiant vitupérer tous les religieux qui s'installaient au milieu du luxe de la cour royale; Joinville se trouvait aussi dans l'auditoire, et lui non plus ne pouvait souffrir les « papelards » — à vrai dire pour d'autres raisons, parce que ceux-ci lui reprochaient d'être trop bien paré, parce qu'il les jugeait hypocrites et parce que, dans sa propre seigneurie, les agents de l'évêque étendaient à ses dépens leur droit de justice. De fait, la résistance à l'Eglise romaine s'affirmait surtout au sein des royaumes, des Etats qui se renforçaient et qui maintenant divisaient l'Europe. Car, tout comme les communes d'Italie, comme la Rome du XIIIe siècle, la Cité de Dieu se trouvait désormais partagée en demeures fermées et hostiles, en forteresses d'où chaque puissance observait ses rivales et s'apprêtait à les attaquer. Le temps des grandes guerres s'annonçait. L'unité de la tunique sans coutures, que célébrait encore la symbolique des cathédrales dans la Vierge couronnée, apparaissait maintenant comme un mythe, et la Jérusalem céleste comme un espoir, comme un regret, une nostalgie — non plus comme la réalité vécue. La réalité, en 1250, c'était l'Etat laïque et sa jeune armée de fonctionnaires, ardents à défendre les prérogatives d'un maître dont l'autorité faisait leur propre prestige. On sentait poindre parmi ces serviteurs des princes l'audace de Guillaume de Nogaret qui bientôt, au nom du roi de France, allait souffleter un pape. Déjà, au milieu du XIIIe siècle, tous les souverains prétendaient être maîtres chez eux et riaient des prétentions temporelles du Siège romain. Saint Louis lui-même, prêt à servir le Christ mais non point l'évêque de Rome, et qui défendit Frédéric II, soutenait ses vassaux contre les empiétements de la juridiction d'Eglise.

Les résistances du monde moderne aux contraintes ecclésiastiques résidaient donc en fait dans le mouvement de croissance qui entraînait l'Occident et dans l'élan de prospérité qui s'y développait encore. Les contradictions de la société féodale s'avivaient. Le peuple des pauvres s'enfonçait dans le désespoir, et les heureux se révoltaient contre la morale des prêtres, qui tendait à les priver de leurs plaisirs terrestres. Les images messianiques, l'espoir obscur d'un âge d'or qui viendrait restaurer les enfants de Dieu dans l'égalité des premiers jours du monde, remuaient alors les masses exploitées, les travailleurs des faubourgs, — parmi lesquels l'hérésie, pourchassée, trouvait ses derniers refuges, — les ouvriers de la draperie, les foulons, les teinturiers, ces « ongles bleus » des cités flamandes qui organisèrent en 1280 les premières grèves de l'histoire. Ils agitaient au fond des campagnes les prolétaires au ventre creux, les faisant tout d'un coup, ici et là, s'agglomérer en essaim autour d'un moine révolté ou bien d'un voyant aux gestes d'archange. Ils partaient alors en troupes aveugles en quête du Sauveur, pillant au passage les greniers de l'Eglise. Tels les Pastoureaux, en 1251: derrière un prédicant qu'on appelait le Maître de Hongrie, ils s'en allèrent à travers les campagnes d'Ile-de-France, voulant arracher le bon roi saint Louis aux mains des infidèles qui le retenaient alors prisonnier. Pour ces cohortes errantes que poussait en avant la misère, le pape, les évêques qui bénissaient leurs persécuteurs, qui encourageaient la chevalerie à noyer dans le sang leur rébellion et l'élan spontané de leur espérance, portaient les traits de l'Antéchrist. Tandis que, pour les nobles, le pape, les évêques et les Frères mendiants n'étaient que des trouble-fêtes: les richesses que Dieu accorde aux gens bien nés, ces gens ne prétendaient-ils pas les leur arracher, leur promettant en échange, dans l'au-delà, des joies incertaines? Dans le plus gracieux des romans qui furent écrits à cette époque, le jeune Aucassin craint de s'ennuyer au paradis et de n'y trouver en fait de plaisir que les litanies des prêtres; si les belles dames doivent se rendre en enfer, il préfère les y suivre. Telles étaient les forces rétives qui se développaient dans l'âge nouveau.

Voici que s'effondrait un autre rêve, celui de la conquête prochaine de l'univers, enfin rassemblé tout entier dans la foi du Christ. Ce rêve charmait l'Europe depuis ses premiers succès contre l'Islam: elle s'en éveille, étonnée. De cette désillusion naquit peut-être le trouble le plus insidieux, celui qui fit paraître dérisoires les ordonnances sereines où, dans la cathédrale, s'inscrivait l'image de la Création. Jérusalem, vers qui s'était tendu tout l'espoir de l'Occident, échappait désormais aux chevaliers du Christ. Les croisés de 1190 avaient tenté sans aucun succès de reconquérir le Saint-Sépulcre; pendant le long siège de Saint-Jean-d'Acre, ils s'étaient accoutumés à voir que, parmi les Sarrasins, il existait aussi des preux dignes d'estime; ensuite on les avait vus s'en revenir piteux, malades, les mains vides, — repartir, mais cette fois pour piller des provinces chrétiennes, la Narbonnaise, puis, guidés par les marchands d'Italie, Byzance. Saint Louis lui-même s'était fait capturer; il avait dû payer rançon; il n'avait pu conduire son pèlerinage jusqu'au tombeau du Christ. En 1261, les schismatiques chassèrent les Francs de Constantinople. Et lorsque saint Louis en 1270 voulut emmener une nouvelle fois ses vassaux en Terre sainte, « à mon avis », dit Joinville qui refusa de le suivre, « ils firent péché mortel tous ceux qui conseillèrent au roi le voyage »; en fait, le roi, modèle de chevalerie, devait y trouver la mort dans l'insuccès d'une expédition stérile. Il resta bien des colons, des évêques, des moines latins dans le Levant, et des générations de chevaliers allaient encore rêver de croisades. C'en était fait pourtant de l'élan allègre. L'espoir était mort de voir un jour toutes les nations du monde communier dans la même espérance autour du Saint-Sépulcre. Les armées d'Occident n'avançaient plus. Des forces supérieures les contenaient, et maintenant les refoulaient, les chassaient de leurs avant-postes. L'Europe elle-même était menacée. Voici que venait peser sur elle toute l'Asie, dont elle commençait à percevoir l'immensité. Elle ressentait la vigueur des pulsions qui, de nouveau, en jaillissaient, semblables à celles qui jadis avaient eu raison de l'Empire romain. Du fond des steppes, elle voyait surgir les hordes mongoles. En 1241 et 1243, en Pologne, en Hongrie, la chrétienté avait dû lutter contre ces assaillants aux faces étranges; dans l'épouvante elle avait cru reconnaître en eux les peuples de Gog et de Magog, les cavaliers de l'Apocalypse, avant-coureurs de la fin des temps.

Les hommes d'Eglise prenaient donc à ce moment conscience de ce que la région christianisée ne constituait qu'une part de l'univers, et petite, qu'il n'était plus permis de croire au succès prochain de la chrétienté, capable enfin d'absorber le monde entier dans une progression continue. Ces hommes, que l'ouverture de leurs connaissances et l'essor de leur culture avaient rendus plus lucides, devaient se rendre à l'évidence: la Création était infiniment plus vaste qu'elle n'avait paru à leurs pères, plus diverse, moins docile; elle était pleine d'hommes qui n'avaient point reçu la parole de Dieu, qui se refusaient à l'entendre et qui ne se laissaient pas facilement vaincre par les armes. En Europe, le temps de la guerre sainte est dès lors révolu. Commence le temps des explorateurs, des trafiquants et des missionnaires. En effet, tous ces infidèles, ces combattants efficaces, pourquoi s'acharner à lutter contre eux? Mieux vaut négocier et tâcher de s'insinuer dans ces royaumes invincibles par la pratique des affaires et par la prédication pacifique. En 1271, Marco Polo s'engage sur la route de la soie dont les récits des marchands vénitiens, ses compatriotes, et ceux des Frères mendiants lui avaient enseigné les étapes. Au dynamisme ancien des chevaliers de France a succédé le dynamisme nouveau des négociants italiens. En outre, la lecture de l'Evangile fait chaque jour apparaître plus clairement ce qu'il y a de barbare et, somme toute, de contraire à l'enseignement du Christ, de vouloir exterminer les mécréants, ou même de les pousser de force au baptême par l'épée, comme au temps de Charlemagne. Il faut leur parler, leur montrer par l'exemple Jésus vivant. Les prélats ont déposé le heaume de Turpin; beaucoup d'entre eux portent la bure franciscaine. Or, à Damiette, saint François lui-même avait pu voir que l'armée croisée ne valait pas mieux que ses adversaires et qu'elle méritait tout autant d'être convertie. Avec quelques-uns des petits frères, il s'était jeté entre les deux camps et le sultan l'avait autorisé à annoncer chez lui l'Evangile. Sans succès immédiat. Mais un nouvel espoir naissait. On apprenait qu'il existait encore des chrétientés nestoriennes dans les contrées mal connues d'Asie, que dominaient les khans tartares. Ceux-ci les laissaient en paix et semblaient donc moins difficiles à gagner à la vraie foi que le musulman, l'ennemi commun. Les Mongols, dès lors, parurent de bons sauvages. Non plus le fléau précurseur du feu de Dieu, mais des alliés possibles qui permettraient de prendre l'Islam à revers. Des Frères mineurs partirent tenter l'aventure. Saint Louis fit envoyer à la cour des chefs asiatiques « une chapelle de drap écarlate, et pour les attirer à notre croyance, il fit sur celle-ci tailler en image l'Annonciation de l'Ange, la Nativité, le Baptême que Dieu reçut, toute la Passion, l'Ascension et l'avènement du Saint-Esprit. Il y joignit des calices, des livres, tout ce qu'il faut pour dire la messe, et deux Frères prêcheurs pour la chanter devant eux ». Au-devant de l'incroyance, l'Europe ne lançait plus des hommes d'armes, mais les meilleurs de ses prédicateurs, le décor dont ils avaient appris à illustrer leurs sermons, toute l'imagerie nouvelle des cathédrales. Encore fallut-il bien reconnaître que ces armes spirituelles ne réussissaient guère mieux que les autres: la chrétienté demeurerait une partie du monde.

Après 1250, au moment même où l'Occident chrétien s'apercevait de sa relativité dans l'espace, se découvrait à lui la relativité de l'histoire chrétienne. Le temps jusqu'ici avait formé un bloc homogène où, dans l'exemplarité divine, le passé et l'avenir se trouvaient cohérents au présent, entretenaient avec lui des rapports mystiques. Au regard de l'éternité, l'époque de la création, celle de la fin du monde, se confondaient, et l'instant vécu s'y mêlait. Saint Augustin et Denys l'Aréopagite avaient exprimé une telle conception de la durée. Sur elle s'étaient appuyés les concordances de Suger, les exemples bibliques de Pierre le Mangeur, et toute la construction symbolique où l'art des cathédrales réduisait le temps au tournoiement cosmique de rosaces. Les événements du passé n'expliquent pas le présent, ils le préfigurent en même temps qu'ils l'achèvent. Or, dans la seconde moitié du XIIIe siècle, des fissures commencèrent à désagréger cette notion. Humbert de Romans, maître général des Dominicains, reçut du pape l'ordre de réfléchir sur l'histoire du schisme grec. On préparait un concile qui tenterait de réunir les deux Eglises séparées. On cherchait à fonder les discussions sur des bases historiques. L'intention était neuve. Dans le petit *Traité en trois parties* qu'il rédigea en 1273, Humbert voulut trouver aux événements de son temps des raisons, et non plus seulement des raisons surnaturelles. Il cessa donc d'appliquer son étude aux relations mystiques qui pouvaient accorder les faits de l'histoire au texte de la Révélation; il s'évertua à discerner les rapports réels que ces faits entretenaient entre eux et ce qui les reliait aux changements perceptibles dans leur environnement matériel et psychologique. L'attitude d'Humbert envers l'histoire se montre ainsi radicalement opposée à celle d'un Joachim de Flore: le temps de l'Esprit n'est pas à venir, il est passé, et le temps présent appartient à l'Eglise. Cette attitude condamne plus nettement encore la notion d'une durée figée dans l'exemplarité; un mouvement constructif anime l'histoire, ce mouvement même qui portait en avant, lorsque Humbert était jeune, le progrès des cultures en Ile-de-France et qui faisait monter les cathédrales. L'optimisme et l'esprit de conquête des entrepreneurs, celui des Frères mendiants qui partaient au combat dans le concret et le vécu et non plus dans le rêve, et qui se mettaient à apprendre l'arabe pour tenter enfin de convertir l'Islam, emplit ainsi tout ce livre. Toutefois, son auteur a l'expérience de l'actuel, c'est-à-dire de l'échec et des efforts incertains de l'homme. Il avait longtemps vécu parmi les conseillers de saint Louis; il avait vu le retour du roi vaincu, son nouveau départ vers l'insuccès et le martyre, la chute de l'empereur Frédéric, puis celle de l'Empire latin de Constantinople. Il ose dire que les Grecs ne sont pas des hérétiques mais des frères séparés et que, de cette séparation, ils ne sont pas seuls responsables. Il ne croit plus à l'unité de l'histoire chrétienne, ni à sa nécessité. Elle se découvre à lui contingente, relative, humaine.

Humbert enfin, comme tous les savants ses contemporains, sent bien que le schisme oriental, que l'Islam, que l'immense peuple des païens d'Asie, ne constituent pas les seuls ensembles cohérents extérieurs à la chrétienté d'Occident. Devant la pensée arabe et grecque, les intellectuels d'Europe doivent encore se convaincre de la relativité de leur théologie. Découverte bouleversante qui, elle aussi, et sans doute de manière plus fondamentale, met en question l'univers des cathédrales. Les interdictions pontificales n'ont pas tenu, qui voulaient refouler hors de l'école tous les traités d'Aristote concernant autre chose que la logique. Albert le Grand commente librement la *Philosophie naturelle*. En 1252, la nation anglaise de l'Université de Paris inscrit au programme de la licence ès arts la lecture du livre *De l'âme*. Les Dominicains eux-mêmes, ceux qui sont installés dans les évêchés des pays byzantins tenus encore par la chrétienté d'Occident, s'appliquent à traduire directement du grec toute la *Métaphysique* du Philosophe. Enfin dans Paris, depuis 1240, pénètre, plus corrosive encore, la pensée de son commentateur, Averroès. Voici, de tous les périls de l'âge nouveau, le plus dangereux peut-être : la fascination que, dans le petit monde des professionnels de la réflexion, sur ces hommes qui fournissent à la création artistique ses modèles intellectuels, vient exercer ce système de pensée. Un bloc qu'il faut bien accepter dans sa cohérence. Du monde et de ses diversités il fournit la clé, une explication totale et claire. Aristote avait été d'abord un instrument nécessaire, le plus efficace parmi tout l'arsenal du progrès rationnel. Il avait servi de guide pour explorer les mystères de la nature, il avait aidé à classer les espèces et les genres, à les ordonner, bref, à s'approcher de Dieu. Mais, à mieux connaître sa philosophie, on la découvrait dans sa vérité, c'est-à-dire antichrétienne. Averroès venait mettre en pleine lumière l'antinomie foncière du dogme et du système d'Aristote en même temps que toutes les séductions de ce dernier.

Dans la pensée d'Aristote, point de création. De toute éternité, les intelligences sont mues par Dieu, moteur premier des sphères célestes. La matière n'a point commencé, ni le cosmos. Dans la pensée d'Aristote, point de liberté pour l'homme. La personne ni le destin individuel n'existent, mais seulement une espèce humaine. Le corps de chacun se corrompt, comme toute chose, et meurt; survit la raison — mais il s'agit d'une raison commune à tous et qui, séparée de sa forme charnelle, va se perdre dans l'impersonnel. Ni l'incarnation, ni la rédemption ne peuvent avoir un sens au sein de cet univers nu et abstrait. Il n'en reste pas moins — et de là naît tout le trouble — que cette philosophie commande le respect et possède une force singulière. Comment espérer en dissocier les éléments, la désagréger, la vaincre? Certes, la logique, dont l'université avait armé le dogme catholique, avait eu raison du catharisme. Mais elle ne saurait valoir contre la philosophie d'Aristote, puisque celle-ci repose sur les mécanismes mêmes qui, depuis les premiers progrès de la dialectique, gouvernent le raisonnement des maîtres chrétiens. Leur théologie lui a emprunté sa charpente. Comment pourrait-elle maintenant l'affronter? Et l'on peut douter qu'elle ait la puissance de se l'annexer, de concilier à cet ensemble, étroitement coordonné et qui paraît indestructible, l'Ecriture sainte, saint Augustin, les mouvements de procession et de retour de Denys l'Aréopagite. Sans doute l'influence d'Aristote et d'Averroès s'exerçait-elle dans un cercle extrêmement restreint. Elle venait en vérité ébranler précisément le point central où se trouvaient réunis tous les promoteurs de la haute culture. Les jeunes, les étudiants de la faculté des arts, se jetaient passionnément à son étude, on ne pouvait les retenir. Après 1250, l'ennemi n'est plus le Parfait, c'est le Philosophe. Contre lui doit se détourner le combat. La papauté cette fois encore en prit la tête et mobilisa ses milices, les Ordres mendiants. Elle venait de condamner Joachim de Flore. Elle protégeait dans l'université Dominicains et Franciscains contre les attaques de Guillaume de Saint-Amour. En 1255, Alexandre IV commanda à Albert le Grand une réfutation d'Averroès. Trois ans plus tard, il établissait dans les deux chaires maîtresses de la théologie parisienne Thomas d'Aquin et Bonaventure. Un Frère prêcheur, un Frère mineur. Deux Italiens.

LE CHRIST SOUFFRANT

De Jésus, l'art des docteurs, l'art de la cathédrale, présentait un visage d'intelligence et de raison. Le peuple dont la sensibilité s'affinait, dont les vieux rites liturgiques n'apaisaient plus l'inquiétude et dont l'esprit demeurait trop fruste pour qu'il pût accompagner les professeurs jusqu'au terme de leur méditation, en inventait un autre, moins distant de lui, plus fraternel, celui que Pierre Valdo cherchait dans une traduction des Evangiles, celui qui se montrait dans le sermon des prédicants hétérodoxes, celui que les croisés avaient aperçu en Orient. A Byzance, les foules chrétiennes avaient ressenti le même désir beaucoup plus tôt. Or, l'Eglise orientale n'avait pas connu la réforme grégorienne. Elle ne s'était pas pour cela aussi strictement séparée des laïcs; ses clercs mariés vivaient en plus étroite communication avec leurs ouailles; elle reconnaissait que l'esprit de Dieu se diffuse largement parmi tous les fidèles et que, pour cette raison, elle devait accueillir les formes de spiritualité nées spontanément dans les consciences populaires. Aussi sut-elle, bien avant la chrétienté romaine, annexer à sa pastorale les simples récits de l'Evangile et les mettre en images. Sans doute établissait-elle dans ses absides la figure dominatrice du Pantocrator. Sur les fresques du monastère de Mileševa en Serbie, peintes vers 1230, la Vierge de l'Annonciation, pure, droite, solitaire, comme la Vierge de Torcello, est bien encore la forme parfaite et intemporelle en qui Dieu pénètre pour s'incarner. Mais dans une autre partie de l'ensemble décoratif, les peintres avaient représenté Marie douloureuse pleurant sur la main blessée de son Fils. Comme cinquante ans plus tôt à Nerezi sur la première des Pietàs.

Ces images qui ramenaient le divin vers la condition humaine, l'Occident en eut connaissance par la prise de Constantinople et par le butin que ses conquérants en rapportèrent. Mais aussi par les voies marchandes qui le long du Danube pénétraient en Allemagne du Sud: les trafiquants de Germanie s'aventuraient vers l'est et leur roi, plus qu'aucun autre souverain d'Europe, gardait des liens avec la cour de son collègue, l'empereur de Byzance. Sur les psautiers et les missels de Souabe, sur les reliefs de Naumbourg, le pathétique des scènes de la Passion reflète l'émotion des Calvaires byzantins.

DÉPOSITION - BOIS POLYCHROMÉ - XIIIᵉ SIÈCLE. CATHÉDRALE DE VOLTERRA.

PSAUTIER DIT DE BONMONT: LA CRUCIFIXION - VERS 1260. BESANÇON, BIBLIOTHÈQUE MUNICIPALE, MS. 54, FOLIO 15 VERSO.

LA PIÉTÉ FRANCISCAINE

Nulle part les images byzantines n'exerçaient plus d'influence que dans l'Italie que bouleversait alors la prédication de saint François. Celle-ci s'adressait aux plus humbles. Après la mort du Poverello, les foules accoururent sur son tombeau. Les disciples du maître, les frères qui l'avaient connu vivant, racontaient son histoire naïvement, comme il convenait devant un auditoire de pauvres. Les traits du héros du Christ s'affadirent parmi les anecdotes des Fioretti. *On les illustra. Berlinghieri et les autres peintres de Lucques ne travaillaient pas pour des savants mais pour des hommes simples, qui trouvaient dans les épisodes de la vie du saint l'aliment de leur ferveur. Leur naïveté, à nos yeux, sauve de la mièvrerie cette imagerie de la dévotion populaire.*

A Pise et dans les autres cités toscanes, on avait peint bien avant les Berlinghieri de grands crucifix de bois. On les suspendait dans les églises au-dessus de l'arc triomphal; à cette place, ils avaient mission d'affirmer aux regards des fidèles la victoire du Christ, en même temps que la victoire de l'Eglise, dont on voyait les traits, identiques à ceux de la Vierge, dans un médaillon, à l'extrémité du bras droit de la croix. Mais la foi des pauvres chargeait aussi ce symbole d'une autre signification: ils contemplaient le corps d'un homme et cherchaient sur lui les marques du supplice qui les avait lavés de leurs péchés. Un jour, saint François avait vu de ses yeux l'un de ces crucifiés tourner vers lui une face compatissante et fraternelle. Il l'avait entendu l'exhorter à expliquer au peuple, très simplement, ce qu'avait été son sacrifice et quelle en était la valeur rédemptrice. Lorsque le bruit commença de se répandre que saint François lui-même avait reçu les stigmates de la Passion, le crucifix toscan cessa d'être un étendard de triomphe. Il devint emblème de la douleur.

Vers 1200, les imagiers de Pise disposaient parfois de part et d'autre du corps du Sauveur les scènes superposées de la Déposition, de la Mise au tombeau, de la Visite des femmes au saint sépulcre et de la Résurrection. Ce fut sur le corps même du Christ que Giunta Pisano, qui travaillait entre 1236 et 1254, que Coppo di Marcovaldo, connu entre 1260 et 1276, concentrèrent les effets pathétiques. Ils précédaient Cimabue. Celui-ci bientôt, par son art, sut faire de la Crucifixion le drame de la mort de Dieu.

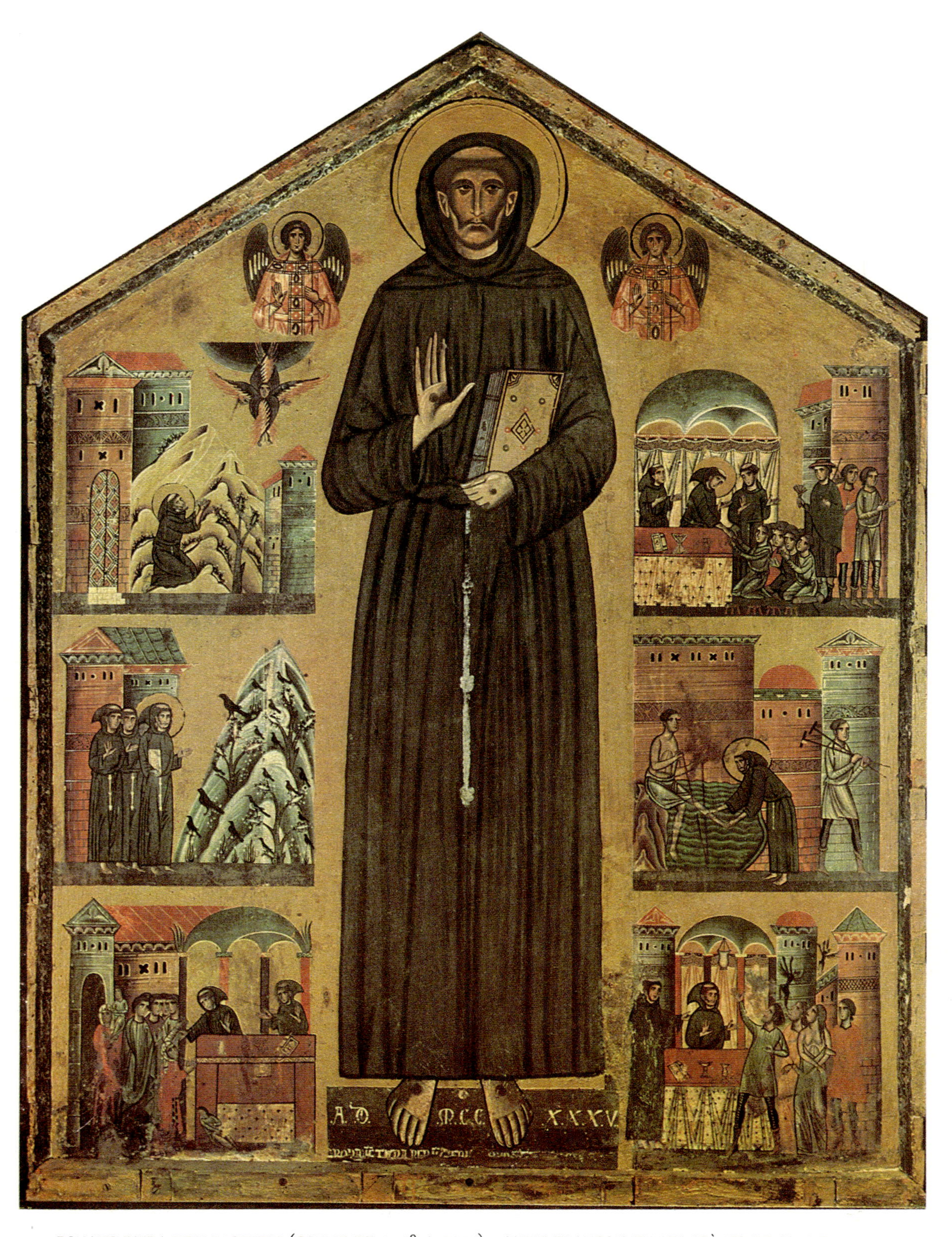

BONAVENTURA BERLINGHIERI (CONNU DE 1228 A 1274) - SAINT FRANÇOIS ET LES SCÈNES DE SA VIE - 1235.
PESCIA, ÉGLISE SAINT-FRANÇOIS.

CIMABUE (ACTIF, 1272-1302) - CRUCIFIX - BOIS - FIN DU XIIIe SIÈCLE.
FLORENCE, MUSÉE DE L'ŒUVRE DE SANTA CROCE.

NICOLA PISANO (VERS 1220-1278) - LA CRUCIFIXION, DÉTAIL DE LA CHAIRE - MARBRE - 1260. BAPTISTÈRE DE PISE.

RÉVÉLATION DE L'ITALIE

Entre 1250 et 1280, la croissance économique se poursuit en Europe, mais lentement les axes de son progrès se déplacent. L'expansion avait d'abord jailli des campagnes; les provinces les mieux douées pour l'activité agricole en avaient donc pris la tête; tout en avant-garde s'était ainsi placée l'Ile-de-France. Puis la poussée profonde s'était transportée dans les villes; elle avait, dans ces mêmes provinces, réveillé les cités de leur torpeur. Les agglomérations urbaines continuent ici de s'étendre pendant toute la seconde moitié du siècle, mais dans le nord de la France les conquêtes paysannes ont alors atteint leurs limites. On ne défriche plus. Les champs se sont étendus sur toutes les terres fertiles. Ils ont même, ici et là, poussé trop loin leur avance aux dépens des sols maigres qui rapidement s'épuisent. Les cultivateurs déçus les abandonnent et les laissent retourner aux broussailles. Un repli s'amorce. Plus de progrès techniques et, sur ces terres déjà depuis trop longtemps labourées, la production parfois se met à baisser. Nulle part, pourtant, la montée démographique ne faiblit. Elle multiplie dans les villages les travailleurs sans terre qui ne savent où s'employer, acceptent les salaires les plus bas. Les grandes entreprises seigneuriales en tirent profit, embauchent au moindre prix, vendent facilement leur blé, et leur prospérité s'affirme. En revanche, beaucoup de paysans sont misérables, ils ont faim. Dans ce surpeuplement prennent source les inquiétudes, les flambées de révolte, toutes les marches indécises, et ces croisades d'« enfants » qui réitèrent périodiquement l'aventure désespérée des Pastoureaux. Dans les contrées où naquit l'art gothique, le contraste s'accuse à cette époque entre des campagnes que commencent à parcourir la disette, l'épidémie et les terreurs, et la ville enfermée dans ses murailles, toujours active et même de plus en plus, où les hommes mangent à leur faim, boivent du vin et où l'argent afflue. La fortune de la fin du XIIIe siècle est bourgeoise. C'est celle des prêteurs sur gages, des patriciens qui ont acheté les domaines des nobles trop prodigues, qui serrent à la gorge les rustres, leurs débiteurs, et qui attirent leurs fils dans les ateliers urbains pour payer moins cher leurs ouvriers. A Paris, aux foires de Champagne, dans les villes drapières de Flandre, tous les hommes d'affaires s'enrichissent. Ceux qui ont le mieux réussi s'efforcent de se dégager de l'inculture. Certains ont épousé sans dot des demoiselles de bonne naissance. Ils s'essayent à copier les manières des chevaliers; à leur tour, ils encouragent les poètes; pour faire rire les banquiers d'Arras, chansonniers et metteurs en scène inventent le théâtre comique. En France, cependant, à la fin du XIIIe siècle, tous les bourgeois demeurent encore des rustauds. Non point en Italie, le vrai pays des villes.

Depuis longtemps, les grands négociants du nord achetaient au-delà des Alpes les plus fascinantes de leurs marchandises, celles dont ils tiraient les meilleurs bénéfices: les épices, le poivre et l'indigo, et ces tissus précieux qu'ils allaient proposer aux plus hautes princesses et aux archevêques, les soieries de Lucques, les draps apprêtés à Florence. D'Italie leur venait surtout la monnaie. La puissance économique des pays français s'était assise en effet dans une région où le métal précieux demeurait rare, pour la plus grande part immobilisé dans les trésors des sanctuaires, les parements d'autel, les innombrables reliquaires et dans les ornements rutilants dont les seigneurs aimaient à parer leur personne. Le commerce manquait de moyens de paiement: les Italiens les lui fournirent. On vit venir d'Asti, de Plaisance, des hommes portant besace qui s'établissaient aux foires et dressaient leurs tréteaux sur la place des marchés. Ils pratiquaient le change, ils acceptaient de prêter contre intérêt de l'argent. Ces étrangers inspiraient la méfiance et l'envie; on les haïssait autant que les juifs; mais le prince les protégeait car ils étaient ses créanciers. A Paris, les Lombards eurent leur rue près de la Grève; ils tenaient les finances royales et tout le mouvement des capitaux dans la ville. Et lorsque, vers le milieu du siècle, on recommença en Europe à frapper des pièces d'or, la plupart d'entre elles sortirent des ateliers de Gênes et de Florence.

On peut tenir la prééminence monétaire des villes italiennes pour le fruit lointain des croisades. Celles-ci avaient trouvé peu de guerriers dans cette région du monde, mais elles avaient excité l'esprit d'entreprise de tous les aventuriers des mers. Elles avaient porté leurs vaisseaux jusqu'aux rivages de l'Orient méditerranéen, jusqu'à leurs ports florissants et leurs souks remplis de denrées tentantes. Au XIe siècle, dès que la piété des chrétiens d'Occident s'était tournée vers Jérusalem, on s'était mis à construire des navires dans les cités maritimes de l'Italie pour conduire vers le tombeau du Christ les premières compagnies de pèlerins. Ceux-ci payaient leur passage. Ils avaient vendu leurs domaines aux monastères, ou bien les avaient mis en gage et ramassé ainsi quelque argent. Une part de ce pécule passa entre les mains des bateliers et s'engagea dans les premières opérations commerciales. Vint la croisade. Ses grosses armées gagnèrent la Terre sainte par voie de terre, mais les flottes de Pise et de Gênes aidèrent à conquérir la Palestine. Elles soutinrent sans relâche l'effort des chevaliers du Christ. Au XIIIe siècle, la plupart de ceux-ci venaient s'embarquer à Pise, à Venise, à Gênes, sur des navires qui se perfectionnaient sans cesse et que le succès des affaires multipliaient. Nouveaux profits pour les armateurs et les matelots. Les princes qui commandaient les expéditions chrétiennes laissaient entre leurs mains des fortunes. Ils leur concédaient des comptoirs et des franchises douanières dans les places marchandes devenues chrétiennes. S'ils ne pouvaient s'acquitter autrement, ils leur rendaient service au passage. Le plus beau coup fut celui des Vénitiens: voulant défendre leurs privilèges commerciaux, ils parvinrent à détourner une croisade tout entière qui, pour eux, en 1204, prit Byzance, le trésor du monde.

Aux hommes de mer, tous les gens de leur ville confiaient des capitaux. Ils leur servaient à trafiquer dans les ports du Levant où ils jouaient sur le cours des changes, d'où ils ramenaient les marchandises qui se vendaient très cher aux foires de France. Le pape interdisait le commerce avec l'infidèle; ils s'en moquaient. Beaucoup périssaient en mer, ou des fièvres, mais les autres amassaient des trésors que leurs associés partaient faire fructifier dans la banque outre-monts. Au milieu du XIIIe siècle, les navires de Gênes avaient pris du corps, ils s'aventuraient plus loin; l'un d'eux transportait vers Tunis en 1251 deux cents passagers et deux cent cinquante tonnes de marchandises; un autre en 1277 doubla pour la première fois l'Espagne et joignit les ports de Flandre. Ainsi s'inaugurait le nouvel itinéraire qui devait plus tard ruiner les foires de Champagne et détourner certaines des routes commerciales qui faisaient encore la prospérité des pays français. Ce mouvement, qui s'amplifiait depuis deux siècles, avait enfin placé en 1250 les hommes d'affaires italiens à la tête de l'économie du monde. Il attirait insensiblement vers eux les leviers de la création culturelle. Alors que, partout encore, on célébrait la translation séculaire qui avait transporté d'abord de Grèce à Rome, puis de Rome à Paris, les lumières de la pensée et de l'art, un nouveau transfert s'opérait. Obscurément certes, et qui n'avait pas poussé très loin ses avances. L'Université de Paris allait, bien des années encore, régner en maîtresse, et nul monument italien contemporain ne peut se comparer à Notre-Dame de Reims. Toutefois, déjà, le grand saint du XIIIe siècle n'était pas Louis, roi de France. C'était le fils d'un trafiquant d'Assise.

Dans les cités d'Italie, le progrès des affaires faisait surgir une société nouvelle. Depuis longtemps, les gens de la ville avaient réduit le clergé urbain à ses fonctions liturgiques et s'étaient libérés du pouvoir des barons. Mais alors que, dans les villes françaises, la commune n'était constituée que de bourgeois, elle demeurait ici aristocratique et les nobles l'avaient dans les premiers temps dominée. Au XIIIe siècle pourtant, dans les cités les plus prospères, la partie active du peuple disputait à ceux-ci le pouvoir et commençait à les supplanter. En tout cas, les barrières étaient là beaucoup moins hautes que partout ailleurs entre la chevalerie et le commun. Elles s'abaissèrent encore. Beaucoup de nobles, contraints ou non, entraient dans les sociétés de commerce, participaient ainsi au négoce et à la banque, tandis que les patriciens bourgeois adoptaient leur manière de vivre, construisaient des tours, portaient des armes et voulaient se mêler aux joutes de la courtoisie. C'était en chevalier que François d'Assise avait passé sa jeunesse. En Italie, au sommet de la société citadine, les hommes d'affaires en 1200 commençaient à se parer des valeurs aristocratiques.

De cette fusion naissait peu à peu une culture dont on voit en 1250 s'affirmer la singularité. Elle s'était exprimée en premier lieu par les aspirations à la pauvreté, qui dévièrent d'abord dans l'hérésie, puis suivirent, enthousiastes, les pas de saint François. Dans les communes italiennes, le clergé restait suspect et moins capable qu'ailleurs de proposer des modèles de sainteté. La plupart des écoles épiscopales végétaient. La dévotion des nobles et du peuple se tournait donc spontanément vers les ermites illuminés qui chantaient Dieu dans les grottes du *contado*, ou vers les Frères mendiants. La ville professait un christianisme ardent mais lyrique, et qui s'épanchait en mouvements d'affectivité. Quant aux activités intellectuelles, elles se développaient hors de l'Eglise, dans des études pratiques, celle du droit, qui préparait à exercer les magistratures, ou bien celle du calcul, qui servait à conduire les affaires. Dans les ports de la Méditerranée, les fils de marchands apprenaient l'arabe. Certains le surent assez bien pour lire quelques traités d'arithmétique. En 1202, le Pisan Leonardo Fibonacci révéla dans son *Liber abaci* tout le corps de l'algèbre musulmane. Toutefois ces procédés mathématiques furent utilisés par des comptables plus que par des constructeurs d'églises. La nouvelle culture en effet tarda à s'exprimer dans des formes artistiques qui lui fussent propres.

L'argent travaillait dans les affaires. Prêté au roi de France et à ses évêques, il les aidait à construire outre-monts des cathédrales. Dans la cité même, il s'investissait encore fort peu dans l'œuvre d'art. L'accession des marchands à l'autorité communale, aussi bien que la puissance des courants évangéliques, refrénaient en effet la tendance au luxe. Bientôt Dante allait fustiger les dévergondages d'élégance des Florentines; pourtant, comme partout ailleurs en Europe, le décor de la vie profane demeurait dans la ville d'une extrême sobriété. Quant aux églises, on n'inventait guère pour les orner: des modèles byzantins guidaient les mosaïstes et les peintres; des modèles romans, les architectes et les sculpteurs. Les seuls frémissements qui en modifiaient peu à peu les accents venaient tous de la sainteté franciscaine. Non point encore de la Rome antique: les juristes en découvraient déjà les maximes, mais on lisait peu ses poètes, et les prestiges de son art restaient encore enfouis sous les couches culturelles qui les avaient peu à peu masqués depuis la fin de l'Empire et qu'épaississaient encore les contacts repris avec l'Orient. Dans Rome même, le pape sortait des écoles parisiennes. Il trouvait dans l'art de France les formules les plus aptes à célébrer sa puissance et celle de l'Eglise. Il les propageait, et pour lui l'art antique avait le tort d'exalter la puissance laïque des empereurs, ses adversaires. La première résurgence des formes romaines n'eut donc pas lieu dans les cités de Lombardie ou de Toscane, ni même dans Rome. Mais dans la part de l'Italie où la puissance impériale s'était assise avant de sombrer sous les coups de la papauté, c'est-à-dire dans le royaume de Sicile.

* * *

Un monde étrange. Etait-ce bien encore l'Italie? Etait-ce la latinité? Il se situait en effet au-delà de la limite qui séparait dans l'Antiquité la part grecque de la part latine, et que tous les bouleversements du haut moyen âge n'avaient pas sensiblement déplacée. Au carrefour des nouveaux itinéraires maritimes, la Sicile, la Calabre, les Pouilles, la Campanie s'ouvraient encore en 1250 aux trois cultures de la Méditerranée, à l'hellénique et à l'arabe autant qu'à celle de la chrétienté d'Occident. Byzance avait longtemps dominé cette région du monde. L'Islam l'avait en partie colonisée. Puis, au milieu du XIe siècle, des chefs de bandes venus de Normandie avaient réussi à s'en rendre maîtres. Ils fondèrent leur établissement sur les institutions vassaliques et féodales qui leur étaient familières, et sur la magistrature royale. Ils surent cependant sauvegarder le système d'impôt, toutes les prérogatives et les règles d'autorité sur quoi s'appuyaient les despotismes dont ils avaient pris la place. Ils construisirent ainsi la plus puissante monarchie d'Europe. Ils avaient installé près d'eux des prêtres et des moines latins et se firent les fidèles alliés du pape. Cependant, sous leur lourde exploitation, les peuples de ce pays continuaient de vivre à leur mode, conservaient leur langage et leurs traditions. Ses rois accueillirent les troubadours. Mais on parlait, on écrivait le grec et l'arabe à leur cour; ils suivaient aussi les préceptes de médecins et d'astrologues musulmans. Beaucoup plus que Ratisbonne, mais beaucoup plus aussi qu'Antioche, dont les princes d'ailleurs étaient siciliens, beaucoup plus que les avant-postes poussés par Gênes jusqu'aux extrêmes rivages du Pont-Euxin, plus que Venise toute liée pourtant à Byzance, plus que Tolède même, Palerme était le lieu des rencontres fécondes où les curiosités de l'Occident trouvaient à s'abreuver. Il ne s'agissait plus de quelques colonies implantées ici et là dans les massacres et cernées d'hostilité, de quelques repaires de garçons d'aventures, ni même de ces cités fortunées où des barons conquérants revenaient entre deux pillages prendre du repos. Palerme, capitale d'un Etat de fondation ancienne, désormais bien assis et fort vaste, s'ouvrait paisiblement sur tous les horizons de la mer. Les aumônes de ses souverains avaient enrichi Cluny; les rois d'Europe y séjournaient lorsqu'ils revenaient de Terre sainte; ils s'y sentaient chez eux, parmi les hommes de leur foi, et ils comprenaient leurs discours. C'était l'Orient cependant. Ses princesses, nouvelles Théodora, vêtues de soie et parfumées, passaient dans les jardins parmi les orangers. Un Orient cette fois vraiment conquis, possédé, et qui demeurait pourtant paré de tous ses prestiges. Les fonctionnaires de la cour traduisaient en latin Hippocrate et Ptolémée, et lorsqu'au XIIe siècle on élevait ici des cloîtres pour les moines bénédictins, leurs arcatures romanes se trouvaient aussitôt revêtues d'une floraison exubérante et merveilleuse; elles disparaissaient sous la ciselure des médersa et dans le scintillement des mosaïques.

Il advint au début du XIIIe siècle, par le hasard d'une alliance, que le tout jeune roi de Sicile eut pour grand-père Frédéric Barberousse, et que le pape l'établit sur le trône de César. Cependant Frédéric II de Hohenstaufen n'était pas allemand. En sa personne l'Empire romain retournait à la Méditerranée. Face à saint Louis, son contemporain, son cousin, son allié, il montre un tout autre visage, étrange autant que l'était son royaume. Nerveux, malingre — « esclave, on n'en eût pas donné deux cents sous » — le regard brillant d'intelligence: un homme inquiétant. Ennemi mortel du Saint-Siège, excommunié plusieurs fois — mais que signifiait en ce temps l'excommunication? — n'était-il pas cependant parvenu, le seul de tous les rois chrétiens, à rouvrir aux pèlerins la route de Nazareth et de Jérusalem? *Stupor mundi*, étonnement du monde, mais aussi *immutator admirabilis*, le maître admirable qui maintenait l'univers dans l'ordre divin. De son vivant on racontait à son propos mille contes surprenants. Aux yeux des Guelfes, il apparaissait sous les traits de l'Antéchrist, « la bête qui de la mer monte, la bouche pleine de blasphèmes, griffes d'ours, corps de léopard, rage de lion ». Tandis que les Gibelins voyaient au contraire en lui l'Empereur de la fin des temps: on sent la tristesse de Dante obligé malgré tout de le placer dans son *Enfer*. Sa figure se confondit bientôt avec celle de Frédéric Barberousse, dont les eaux d'un fleuve oriental avaient à tout jamais emporté le corps. Mort vaincu comme Siegfried, il devait devenir le vieillard du Kyffhäuser qui sortirait un jour de son sommeil, et dont le retour annoncerait le réveil de l'Empire. Les historiens eux-mêmes peinent à se délivrer de ces mythes. Lorsqu'il en parle cent ans après sa disparition, le Florentin Villani est déjà prisonnier d'une légende ambiguë: « Homme de grande valeur et de grand courage, d'un savoir et d'une intelligence universels, il savait le latin, notre langue vulgaire, l'allemand, le français, le grec et le sarrasin; il était noble, généreux, expert en armes, et se fit craindre infiniment; il fut dissolu de toutes manières; il entretint beaucoup de concubines, et des mameluks comme font les Sarrasins; il voulut jouir de tous les plaisirs du corps et fit une vie épicurienne, se conduisant comme s'il n'y avait pas d'autre vie. Lui et ses fils régnèrent en grande gloire mondaine, mais à la fin, pour leurs péchés, ils finirent mal, et sa progéniture s'éteignit. » Certes, Frédéric II aimait les femmes et en usait librement — mais tous les princes de son temps, hormis saint Louis, agissaient de même. Certes, il fit crever les yeux de son chancelier: ce n'était pas cruauté cependant, mais simple application, coutumière sur ses terres, d'un supplice emprunté à Byzance. Une garde de guerriers maures tenait garnison dans sa forteresse de Lucera; il appelait son ami le sultan d'Egypte, échangeait avec lui des présents et armait chevaliers les ambassadeurs infidèles. Peut-on pour cela parler d'incroyance, ou même de scepticisme? Bien au contraire, sa foi dans le Christ est incontestable. Il ne souriait pas lorsqu'il conduisait la croisade. Mais il avait l'esprit curieux et aimait qu'on lui expliquât qui était le Dieu des juifs et celui des musulmans. Comme il voulut un jour rencontrer François d'Assise. Il demeure qu'il pourchassa les hérétiques, soutint l'inquisition plus vigoureusement qu'aucun autre et qu'il revêtit pour mourir le froc des cisterciens. Contrastes, ouverture d'âme à toute la diversité du monde, mal compréhensible aux religieux du XIIIe siècle qui pensaient tout d'une pièce: il était Sicilien.

Ce qui importe ici, c'est d'abord qu'il aimait la science. Une science à vrai dire quelque peu différente de celle des théologiens de Paris. Elle venait d'Aristote, mais aussi d'autres livres, que l'on traduisait, aux frais de l'empereur, du grec et de l'arabe. Elle venait également de l'expérience. Frédéric écrivit lui-même un *Traité de la chasse* où il s'efforça de dire sur les animaux ce qu'il en avait vu. On colportait encore qu'il avait un jour fait mourir un homme dans une jarre hermétiquement close à seule fin de déterminer ce que pouvait devenir l'âme humaine après le trépas. En effet, l'Italie méridionale constituait une province très particulière de la culture scientifique.

Elle était membre du monde catholique par ses prélats et ses inquisiteurs; par ses juristes sortis des écoles de Bologne, elle recevait les méthodes du raisonnement scolastique. Toutefois Euclide, Averroès, tout le savoir de l'Islam et de la Grèce, ne formait pas chez elle un corps étranger, il jaillissait du fond indigène. Le roi présidait à des débats que l'on menait, comme à Oxford ou à Paris, selon les règles strictes de l'argumentation dialectique, avec mise en question et sentence, mais on y discutait d'algèbre, de médecine, d'astrologie. Inquiet, préoccupé de son destin, Frédéric II, comme les sultans, interrogeait des mages, des alchimistes, des faiseurs d'horoscopes et des nécromants. Vers son anxiété montaient de la nuit orientale tous les secrets fascinants de l'occultisme. Comme les émirs, il se passionnait pour les propriétés des choses et des êtres. Pierre d'Eboli composait pour lui un poème sur les eaux de Pouzzoles et sur leurs vertus; son maréchal rédigeait un traité d'hippiatrie; son astrologue rapportait de Tolède l'*Astronomie* d'al-Bitruji et la *Zoologie* d'Aristote.

L'empereur et les savants de sa cour appliquaient à l'observation des phénomènes naturels la même volonté de lucidité que les maîtres parisiens. Toutefois, ils n'étaient pas autant que ceux-ci tendus par le désir de parvenir à Dieu au terme de leur analyse du monde créé, et leur physique n'allait pas se fondre dans la théologie. Elle demeurait autonome et profane. Ces hommes, incontestablement, croyaient en la divinité du Christ et au pouvoir des sacrements de l'Eglise. Ils tenaient pour des mécréants Aristote, Averroès et tous les maîtres sarrasins ou juifs dont ils recevaient des leçons, qui soignaient leur corps et qui scrutaient pour eux les étoiles. Mais leur religion, comme celle des villes de Toscane, gardait une tonalité lyrique. Elle ne gouvernait pas totalement les jeux de leur intelligence, ni leur curiosité devant les mystères du monde visible. A l'époque où se construisaient Chartres et Reims, le sud italien gardait ses distances à l'égard des synthèses dogmatiques de la cathédrale de France. Attentif au réel, il travaillait à découvrir les forces cachées qui commandent la croissance des plantes, les mœurs des bêtes et le mouvement des astres. Mais librement, comme dans les écoles de l'Islam. Peut-être parce que son christianisme demeurait moins sensible aux valeurs d'incarnation, parce qu'il attribuait à son Dieu la transcendance d'Allah, une toute-puissance qui l'élevait au-dessus de la nature de manière incommensurable. Ce fut en tout cas dans l'entourage de Frédéric II que se développa pour la première fois dans le monde chrétien une science de la nature qui ne fût pas science du divin. Là prit vigueur le sens du concret que devait, un siècle et demi plus tard, refléter l'art des villes italiennes. Ce réalisme, tout différent du réalisme des cathédrales gothiques, ne procède pas, comme on l'a trop dit, de l'esprit bourgeois, mais des faveurs d'un prince dont on racontait dans les cours d'Europe qu'il avait vécu comme un sultan.

Nul monarque en ce temps, hormis saint Louis, ne commanda plus d'œuvres d'art. Devenu roi d'Allemagne en 1218, puis deux ans plus tard empereur, Frédéric II ordonna aux artistes qui travaillaient pour lui de rompre avec les traditions byzantines de ses ancêtres palermitains. Il était souabe par son père et s'appuyait sur l'Ordre des chevaliers teutoniques. Il rêvait d'un art impérial. Il ne commanda donc pas des adaptations de l'art de France, qui célébrait la gloire des rois capétiens et que l'Eglise pontificale avait fait sien. On lui proposa les formes qui venaient d'apparaître en terre d'Empire, à Lucques, à Modène. Leurs racines lointaines plongeaient dans les forêts de l'Allemagne ottonienne. Dans les premiers temps de son règne, l'esthétique de Lombardie acheva donc de conquérir l'Italie du Sud: on sculpta pour la basilique palatine d'Altamura des chapiteaux zoomorphes parents de ceux de Parme; à Bitonto, l'empereur fut représenté lui-même en donateur sous les traits des idoles romanes. Mais ce jeune homme prenait peu à peu plus claire conscience des valeurs dont le couronnement de 1220 l'avait revêtu. On célébrait autour de lui la puissance de « César, lumière admirable du monde ». Il vivait entouré de juristes qui professaient les maximes de Justinien. Ses troupes écrasaient les milices des cités lombardes liguées contre lui: il fit porter en triomphe au Capitole les trophées de sa victoire. Dès lors, il lui appartenait de relever les aigles et les faisceaux. L'art des évêques de Toscane et d'Emilie ne pouvait plus longtemps convenir à signifier ses vertus. Il avait chassé la papauté de Rome, sa souveraineté se dégageait des liturgies, elle s'affirmait militaire et civile. Après 1233, il ne fit plus construire des églises, mais des châteaux, symboles de sa majesté. Bâti en octogone comme la chapelle carolingienne d'Aix, Castel del Monte figure la couronne impériale, c'est-à-dire la Jérusalem céleste. Cependant ses huit faces, image parfaite de l'éternité selon la mystique des nombres, ne sont pas disposées pour environner les chants psalmodiés d'un chapitre, ni des reliques. Elles montrent de toutes parts la force terrestre du César chrétien, vrai lieutenant de Dieu en ce monde, et sur les murs de la forteresse, les élégances précises d'un décor champenois se sont partout substituées aux rêveries romanes. Enfin, au moment même où le roi saint Louis s'apprêtait à édifier la Sainte-Chapelle à la gloire du Christ des couronnements gothiques, Frédéric II fit ériger dans Capoue sa propre statue. Celle d'Auguste. Cette fois c'était la Rome antique que l'on voyait surgir, du fond des âges, victorieuse.

En 1250, le grand empereur est mort et la réalité de l'Empire avec lui. Aux contemporains, cette chute parut l'un des signes les plus éclatants du renouvellement du monde. Les descendants de Frédéric II moururent aussi. Toutefois, Charles d'Anjou, ce frère de saint Louis que la papauté fit triompher et qu'elle établit à leur place dans le royaume de Sicile, n'y vint point balayer toute la floraison culturelle dont le Staufen avait jeté les semences et que la vigueur du progrès italien portait à fructifier. Le prince des fleurs de lys reprit à son compte toutes les ambitions de ses prédécesseurs, les rois normands de Palerme, et leurs rêves de conquête sur les trois fronts de la Méditerranée. Il ne chassa pas de sa cour les astrologues, ni les médecins, ni les traducteurs. Pierre de Maricourt, le « maître des expériences », construisait pour lui des astrolabes, et l'on devait bientôt voir trôner son effigie de pierre dans la même majesté pesante des statues romaines. Il entendit apparaître sage, d'une sagesse profane, tout comme, de l'autre côté de la mer, le roi de Castille, Alphonse le Sage, qui rédigeait alors lui-même des livres *Du savoir de l'astronomie*. Sous le règne de Charles d'Anjou, les sculpteurs de Campanie continuèrent donc de dégager des sarcophages antiques des images de la majesté civile. On les admirait, on les copia. On commença, dans les communes de l'Italie centrale, à les juger mieux accordées aux sentiments nouveaux que les symboles romans ou byzantins et que les modèles que proposait l'art de France. Le décor d'Amiens n'était pas encore achevé que Nicola Pisano, déjà, travaillait à la chaire de Pise. Dans la montée des périls, l'art des temps nouveaux naissait à l'extrémité méridionale de l'Europe, sur le terrain qu'avait préparé Frédéric II.

6

RÉSURRECTION DE ROME

Si dans l'Italie du XIIIe siècle, pourtant florissante, enlevée par l'élan de prospérité qui devait bientôt la faire dominer l'économie européenne, aucune œuvre d'art ne fut construite qui pût égaler Chartres, Reims ou Bamberg, c'est bien que cette partie d'Europe ne constituait pas un Etat, qu'elle demeurait divisée entre plusieurs puissances politiques. Aucun souverain ne concentrait dans ses mains le pouvoir d'exploiter toutes ses richesses, aucune cour ne pouvait rivaliser avec celle du roi de France, ni même avec celle du roi d'Allemagne. L'autorité, qui assurait jadis au monarque le contrôle et la protection des grandes églises cathédrales et monastiques, s'était ici désagrégée. Le pape avait bien son siège à Rome; il prétendait gouverner l'ensemble de la chrétienté. Le magistère qu'il revendiquait demeurait cependant spirituel; il ne détenait pas encore l'instrument fiscal qui eût alimenté abondamment ses coffres et l'eût rendu capable d'entreprises artistiques aussi prestigieuses que celles de saint Louis. Sans doute la partie centrale de la péninsule lui était-elle directement soumise, mais les agents pontificaux s'y heurtaient aux libertés des villes, et à tous les féodaux qui les narguaient dans leur *rocca*. Quant à l'antique autorité des souverains lombards, elle s'était perdue dans le magma de droits que revendiquaient en vain, en Toscane et dans la plaine du Pô, les rois de Germanie. Lorsqu'ils descendaient du Brenner avec leurs cavaliers, ceux-ci ne parvenaient jamais à arracher aux cités que des simulacres de puissance. Elles cédaient un moment; elles attendaient que la peste et les fièvres aient décimé l'armée teutonique et que son chef s'en soit retourné penaud, sans rien garder. En Lombardie, dans la vallée de l'Arno, fleurit l'indépendance communale, mais celle-ci dissémine les pouvoirs régaliens et les richesses qu'ils procurent en petites parts que se disputent cent républiques hostiles. Il n'existe alors en Italie qu'un seul Etat solide, le Royaume, celui des princes de Palerme. Ils amassent l'or à pleines poignées; ils l'emploient à orner magnifiquement leurs demeures et leurs églises. Cependant les provinces qu'ils dominent appartiennent en fait à l'Orient et ce sont des artistes grecs qui tendent autour de leurs fastes et de leurs prières le tapis rutilant des mosaïques.

Tout changea cependant dans l'Italie du Sud lorsque la Sicile passa dans l'héritage des Staufen et quand Frédéric II, sorti de l'adolescence, se voulut vraiment successeur des Césars. Cet événement politique suscita, dans la seule cour italienne où pût se déployer largement la munificence d'un prince, un revirement fondamental de l'esthétique, un retour décidé aux sources romaines, la restauration archéologique de l'art classique. En Campanie, pendant tout le XIIIe siècle, des animaux fantastiques, des dragons, des hippocampes, sortis du décor des tissus byzantins, s'étaient lovés dans les ambons des cathédrales. L'art nouveau ne les chassa pas; il ne s'introduisit pas dans les églises; il commença de s'appliquer aux monuments de la puissance civile. Certes, dans les provinces lombardes, l'esthétique romane avait déjà poussé ses racines jusqu'à la couche la plus profonde, celle de l'Antiquité romaine. Ses édifices religieux refusaient l'illumination et l'élan vital des cathédrales françaises. Comme les temples antiques, ils restaient clos sur eux-mêmes dans leur ceinture d'arcatures. Les valeurs d'équilibre ici prédominaient. Le baptistère de Parme s'élève vers le ciel, mais sous la forme d'un cylindre et non point d'une flèche, et les statues qui l'ornent sont cousines de celles qui dressaient l'effigie des dieux et des défunts héroïsés sur les portes des cités latines, sur leurs mausolées et sur leurs arcs de triomphe. Toutefois, ce fut pour Frédéric II que, délibérément, fut ressuscitée la statuaire de Rome.

Le château de Capoue édifié entre 1234 et 1240, alors que culminait la statuaire de Reims et celle de Bamberg, montra des bustes étonnants où l'Antiquité se présentait toute nue, et non plus enrobée dans les formes liturgiques de la sculpture romane. Ses effigies de l'empereur, de ses conseillers et des vertus civiques paraissent fraîchement sorties d'un chantier de fouilles. Bientôt, les artistes qui travaillaient au décor des édifices religieux les copièrent. En 1272, dans la cathédrale de Ravello, Nicola di Bartolomeo da Foggia, dont le père avait servi l'empereur Frédéric II, sculpta pour en orner la chaire le visage d'une femme. Fut-il le portrait de Sigilgaïda Rufolo? Ne figure-t-il pas plus sûrement une allégorie de l'Eglise? A travers lui, en vérité, c'est l'image de Rome même qui renaît à la lumière.

Les grandes cités de Toscane avaient alors depuis quelque temps atteint un niveau de fortune égal au moins à celui des grands princes; mais le peuple y luttait contre l'aristocratie et l'éliminait peu à peu du pouvoir. Les dirigeants de la commune, les maîtres des finances publiques, appartenaient presque tous à un milieu encore instable d'hommes d'affaires récemment sortis de la médiocrité et dont la culture n'avait pas d'assises profondes. Certains de ces parvenus avaient déjà le goût assez sûr pour acquérir au loin — comme en 1900 les banquiers de New York et les marchands de Moscou — des objets d'art et les plus beaux, mais c'étaient des parures byzantines ou des livres de France, et ils ne trouvaient pas encore dans leur ville des artisans assez vigoureux et assez cultivés, capables de créer pour eux des œuvres accordées à leurs nouveaux désirs. Vint Nicola Pisano. De lui, que sait-on, sinon son nom, qu'il naquit vers 1220 et mourut en 1278? Avait-il visité la Campanie, la Romagne? Il tailla dans la pierre des Moïses qui ne descendaient plus du Sinaï, mais de l'Olympe. En 1260, l'année où s'achevait la cathédrale de Reims, l'année où, selon Joachim de Flore, le troisième âge du monde devait commencer, la chaire de Pise que sculpta Nicola se dressa comme une stèle au seuil des temps nouveaux.

RÉSURRECTION DE ROME

1. Buste de Frédéric II – milieu du XIIIe siècle. Barletta, Musée Civique.
2. Castel del Monte (Pouilles) construit par Frédéric II en 1240.
3. «De arte venandi cum avibus» de Frédéric II – milieu du XIIIe siècle. Bibliothèque Vaticane, Ms. Pal. Lat. 1071 (folios 4 recto, 5 verso, 16 verso).
4. Pied de chandelier pascal avec quatre figures d'hommes. Emilie, XIIIe siècle. Bologne, Musée municipal.
5. Nicola di Bartolomeo da Foggia: buste présumé de Sigilgaida Rufolo. Marbre – 1272. Cathédrale de Ravello.
6. Buste de Pierre de La Vigne, ministre de Frédéric II – 1239. Capoue, Musée Campano.
7. Ambon en marbre incrusté de mosaïque, exécuté par Nicola di Bartolomeo da Foggia – 1272. Cathédrale de Ravello.

1

2

3

4

6

7

LE BONHEUR

Après le milieu du siècle, les artistes de la cathédrale française perdent peu à peu leurs facultés d'invention. Ils appliquent des formules parvenues à leur perfection, de plus en plus logiques, de mieux en mieux disposées pour inonder le sanctuaire de lumière, mais qui se vident insensiblement de leur contenu spirituel. De cet épuisement les raisons sont multiples. Il procède pour une part de l'orientation nouvelle qu'emprunte désormais la recherche dans les foyers scolaires. L'université a tout sacrifié au perfectionnement des mécanismes dialectiques, la culture véritable s'y dessèche. Les écoles ne forment plus guère que des techniciens du raisonnement. La froideur du syllogisme envahit la théologie et retentit sur l'art qu'elle suscite. Par ailleurs, si le grand art demeure exclusivement voué à célébrer la gloire de Dieu, les prélats ne sont plus associés de manière aussi intime à sa création. De plus en plus nombreux, on les choisit dans les Ordres mendiants. Beaucoup sortent du peuple. « Fils de vilain et de vilaine », Joinville apostrophe ainsi le franciscain Robert de Sorbon qui lui cherchait noise, et poursuit en lui reprochant d'avoir trahi la simplicité de ses pères. En fait, quelques-uns de ces religieux, parvenus par l'épiscopat au sommet de la puissance seigneuriale, savaient mal résister aux attraits du luxe et se laissaient éblouir: ce qui les séduisait surtout dans l'édifice, c'était la perfection du rendu, l'effet, les habiletés de construction. Les meilleurs d'entre eux, ceux qui vivaient réellement en esprit de pauvreté, se souciaient davantage de prêcher que de bâtir, et si leur méditation les engageait sur des voies nouvelles, c'étaient celles de l'humilité, de la dévotion du cœur. Elle menait à l'indifférence à l'égard des formes monumentales. Saint Bonaventure ne construisit pas lui-même des cathédrales. Il en laissait l'initiative au roi de France, qui certes apparaissait alors comme un modèle de sainteté, mais qui pourtant n'était pas lui-même théologien. De la sorte, progressivement, les pouvoirs de création se trouvèrent délégués à des spécialistes, les maîtres d'œuvre, dont commence alors la fortune.

Ces hommes s'élevaient désormais bien au-dessus des simples artisans qu'ils avaient charge de conduire. Ils ne charriaient plus les pierres, qu'ils cessaient même de sculpter de leurs mains. Ils maniaient le compas; ils présentaient aux chapitres, minutieusement dessinée sur parchemin, l'élévation du futur édifice. « Certains travaillent par la parole, » dit alors un prédicateur. « Dans ces grandes constructions il y a d'ordinaire un maître principal qui seul les ordonne par la parole, et y porte la main rarement ou jamais. Les maîtres des maçons, la règle et le compas en mains, disent aux autres: « Par ici me taille ». Ils ne travaillent pas, ils reçoivent pourtant les plus grands gages. » Ces hommes connaissaient admirablement leur métier. Ils vivaient en familiarité avec les docteurs de l'université, leurs pairs, qui leur faisaient partager leur science des nombres et des ordonnances dialectiques. Mais ce n'étaient point des prêtres. Ils ne consacraient pas le corps du Christ. Ils n'avaient point passé des heures à méditer la parole de Dieu et à en scruter les zones obscures. Ils exécutaient, mais ne puisaient pas directement leur inspiration, comme le faisaient naguère Suger ou Maurice de Sully, dans la contemplation des hiérarchies divines. Des problèmes de dynamique et de statique les préoccupaient davantage. Lorsqu'ils inventaient encore, ils agissaient en virtuoses, non plus en mystiques. Leurs victoires consistaient à dominer la résistance du matériau, non pas à élucider des mystères. Ceux dont l'esprit inclinait à la logique plaçaient leur réussite dans la rigueur des géométries. Les plus sensibles s'efforçaient d'atteindre, non plus à la vérité, mais à la grâce.

A Saint-Denis, le grand Pierre de Montreuil, vers 1250, n'innove pas, il raffine. Maître d'une technique qui lui permet de réduire le bâtiment à son armature de pierre, il dispose la lumière pour le plaisir de l'œil. Certes, les deux rosaces du transept, l'une dont le mouvement converge vers le centre, l'autre, à l'inverse, où la clarté s'irradie, manifestent-elles, par toutes les ressources d'une mathématique parfaite, la double circulation de procession et de retour que la théologie de saint Thomas d'Aquin empruntait alors à Denys l'Aréopagite. C'en est fait cependant de l'équilibre entre les données de la structure et les ornements du décor. Pierre masque les fonctions individuelles des masses sous des recherches d'élégance. De même, si les statues de la Sainte-Chapelle présentent des proportions harmonieuses, elles n'ont plus d'âme. Ce sont les statues de Reims, mais dont la spiritualité se serait évaporée. A Reims même, Gaucher, le dernier des maîtres d'œuvre, lorsqu'il établit au portail les grandes figures sculptées, préparées pour son ornement, néglige l'agencement prévu au départ et qui s'appliquait strictement à l'enseignement doctrinal. Il dérange l'ordre intelligible des théologiens dont il ne sent plus la nécessité. Il place chacune des statues en fonction de ses valeurs plastiques, et non plus de sa signification. On ne voit point que les chanoines aient contesté son choix; eux-mêmes devenaient d'ailleurs sensibles à de telles grâces. L'artiste désormais cherche à plaire. Déjà le corps de la Synagogue porte tout son poids sur une seule jambe, et l'on voit s'amorcer le hanchement qui allait peu à peu entraîner vers les danses des assemblées courtoises les Vierges et les saintes du XIVe siècle. Une semblable flexion se dessine sur les vitraux et sur les pages enluminées des manuscrits, dans les modulations d'une ligne tracée pour les joies visuelles. Le peuple fidèle, et le clergé qui le guide vers son salut, se prennent à trouver beaux le Dieu vivant et sa Mère.

Ce glissement vers l'esthétisme reflète en vérité la crise que traverse alors à Paris la pensée théologique, et tous les mouvements de profondeur qui la déterminent. Saint Thomas d'Aquin et saint Bonaventure conduisaient, sur l'ordre du pape, la lutte contre les déviations nouvelles. Le premier se fondait sur le raisonnement. Disputant avec Aristote, il affrontait le Philosophe et le Commentateur dans un tournoi dialectique pour les désarçonner. Mais son collègue de l'Ordre franciscain n'assignait aux instruments de la logique qu'une fonction préliminaire: « La science philosophique est une voie vers d'autres sciences. Qui veut s'y arrêter demeure dans les ténèbres. » Retournant à saint Augustin, il conviait à distinguer la connaissance par la science, qui ne parvient à saisir que les apparences, d'une connaissance plus profonde, ouverte celle-ci sur les gloires du monde à venir. Son *Itinéraire de l'esprit vers Dieu* — ou plutôt *en Dieu* — chemine de degré en degré, poussé par l'élan de l'amour. A quoi bon raisonner contre Aristote? Il est plus salutaire de s'avancer dans la contemplation des lumières. Dernier précepte qui trace les limites de l'effort intellectuel: « Dans cette contemplation, garde-toi de penser que tu comprends l'incompréhensible. » Cette démarche s'accordait mieux que celle de Thomas aux tendances des temps nouveaux. Elle rejoignait le mouvement spontané des âmes naïves qui se fiaient, pour trouver Dieu, aux illuminations de l'Esprit saint. Elle triompha donc du thomisme dont Bonaventure, dans ses *Conférences sur les dons du Saint-Esprit*, commençait à rejeter formellement les prémisses. En 1270, effrayée par les audaces de la dialectique, attentive aux remous qui agitaient les consciences populaires, la théologie catholique s'engageait délibérément dans la voie du mysticisme.

* * *

Or, du mysticisme, l'Ile-de-France, le Paris plantureux de Philippe le Hardi, celui des raisonneurs de l'Université et des élégances chevaleresques, n'était pas la terre d'élection. Voici pourquoi, sans doute, l'élan qui avait enlevé vers le ciel les tours de Laon, de Chartres et de Reims, se retira de cette région et, dans la seconde moitié du XIIIe siècle, se transporta plus à l'est, vers la vallée du Rhin, vers le pays où commençaient à foisonner les petites communautés mystiques de Béguins et de Béguines. Le progrès commercial touchait alors l'Allemagne, qui s'animait de routes marchandes. Des villes y poussaient de toutes parts; on détruisait les forêts pour les bâtir. Avant 1250, Albert le Grand avait quitté Paris pour enseigner à Cologne, dans le nouveau centre d'études dont il fit la gloire; il y commentait Denys. Après lui, le dominicain Ulrich de Strasbourg développa la part de son œuvre qui subordonnait la technique rationnelle aux illuminations; il jalonnait ainsi la route où Maître Eckhart allait bientôt s'engager. Ce fut la Germanie des frères du Libre Esprit et des Minnesänger qui hérita l'art des cathédrales. A Strasbourg s'ouvre le dernier des grands chantiers gothiques. La sculpture de Reims pousse un rejet plus lointain à Naumbourg au sein d'un monde encore broussailleux.

Mais les artistes qui s'en inspirent ici l'inclinent vers l'expressionnisme, et non loin des scènes de la Passion de Jésus, ils savent aussi dresser, dans le jaillissement de leur beauté, des statues de princesses.

Sur ces terres forestières, près des couvents de moniales visionnaires, l'art de France devient touffu. Le bestiaire monstrueux du vieux fond roman, l'univers des fantasmes et des forces incontrôlées l'enrichissent, mêlés aux formes convulsives ou maniérées en qui, dans l'âme allemande, s'étaient dissipés les modèles byzantins. Dépouillée de son armature logicienne, l'esthétique de Suger se dissout dans les églises de Thuringe et de Franconie en jeux de lumière et en tendresses mariales; elle s'adapte au goût des dévots qui cherchent dans les effusions du cœur des quiétudes spirituelles.

* * *

Or, à ce moment même, Paris proposait une voie nouvelle, celle de la raison toujours, mais menant au bonheur terrestre. Ses intellectuels revendiquaient plus ardemment le droit de philosopher, et l'inclination nouvelle de la théologie vers le mysticisme les encourageait: puisque le Christ est venu par son sacrifice sauver tous les hommes et qu'il suffit de s'abandonner à son amour pour accéder aux joies surnaturelles, pourquoi s'interdire en cette vie de raisonner librement des choses profanes, et pourquoi se priver des plaisirs du monde? Les professeurs séculiers de la faculté des arts ne participaient pas aux discussions théologiques. Leur tâche était d'expliquer Aristote. Ils le commentaient devant des élèves très jeunes, et dont beaucoup se destinaient à des carrières laïques. Ils proclamaient devant eux que penser fait la dignité de l'homme. Penser en toute liberté. L'état de philosophe est le plus noble de tous, il mène au bien suprême. Quelle est en effet sa mission? Découvrir les lois de la Nature, c'est-à-dire l'ordre vrai. Si l'on voit en effet dans la Nature l'instrument de Dieu, le reflet de Sa pensée, l'œuvre de Ses mains, comment la juger mauvaise? En pénétrer les arcanes, c'est aussitôt mettre en évidence les règles d'une vie parfaite, conforme aux intentions divines. « Le péché est en l'homme, » écrit Boèce de Dacie, « mais les voies honnêtes découlent de l'ordre naturel. » Que l'homme donc s'applique à suivre cet ordre, il peut être sûr de plaire à Dieu. De surcroît, il vivra sur cette terre dans l'équilibre et dans la joie. A l'homme, la jeune école vient proposer le bonheur.

Un bonheur dont il est l'unique artisan, qu'il peut conquérir par son intelligence. Dame Nature, notre maîtresse, promet à ceux qui la servent d'atteindre ici-bas la béatitude parfaite. Telle est bien la leçon du second *Roman de la Rose* qu'écrivit Jean de Meung vers 1275, près des écoles de Paris. Il dénonce les corruptions venues de toutes parts déranger l'ordonnance divine: la volonté de puissance, mais aussi les sophistications de la courtoisie et la prédication hypocrite des Frères mendiants. Il évoque l'ordre parfait des premiers âges du monde. « Jadis au temps de nos premiers pères et de nos premières mères, comme en témoignent les écrits des Anciens, on s'aimait de fin et loyal amour et non par convoitise, par désir de rapine, et le bonheur régnait dans le monde. La terre n'était pas cultivée, mais elle était comme Dieu l'avait parée, et pourtant, d'elle chacun tirait subsistance. » Tout fût gâché par Tromperie, Orgueil et Faux Semblant.

Ces pensées nouvelles naissaient de l'averroïsme. Mais elles procédaient aussi très directement de la propagande antihérétique, qui avait proclamé contre les Cathares la réhabilitation du monde créé. Elles s'enracinaient dans la théologie de la Création qu'avait développé l'art des cathédrales. Elles ne contredisaient pas non plus l'optimisme naïf des premiers temps du franciscanisme, dont s'étaient détournés les Mineurs sur l'ordre du Saint-Siège. Elles rejoignaient enfin les frustes croyances du millénarisme, l'attente des pauvres à qui l'on faisait entendre que Dieu avait créé ses enfants tous égaux. La philosophie parisienne de 1270 apparaît ainsi comme une nouvelle étape dans la découverte progressive de l'Incarnation. Tournant majeur en vérité: celui où la pensée des clercs se désacralise et s'offre à la société profane.

Car en fait, affranchie des contraintes cléricales, la proposition d'un bonheur matériel s'adressait surtout — Jean de Meung avait écrit son œuvre dans le langage des cours — à tous les chevaliers amoureux de la vie, à leurs dames, à ceux qui avaient refusé d'accompagner saint Louis dans sa dernière croisade (« il n'y avait pas de pèlerinage en ce temps-là, et nul ne sortait de son pays pour aller explorer les contrées sauvages »). Elle chantait sur un autre ton la joie des poèmes courtois. Elle conviait à ouvrir les yeux sur la beauté des créatures et à s'en réjouir simplement. C'était elle qui s'exprimait déjà dans le rire enfantin des Elus de Bamberg, dans les ironies de Rutebeuf, dans la fraîcheur des mélodies que composait Adam de la Halle, plus simples, plus naturelles, plus directes que la polyphonie scolastique de Pérotin le Grand. Elle animait le jeune saint Louis, quand il aimait encore à rire. La voici maintenant qui poussait en avant l'anticléricalisme souriant des nobles de la cour de France, et toute une jeunesse libre et saine pour qui les faux prophètes, annonciateurs de la fin des temps, n'étaient pas les dialecticiens des écoles ni les troubadours, mais les papelards et les cagots dont les objurgations à la pénitence freinaient le retour aux franchises de l'âge d'or. Les grâces de la jeune sculpture lui font écho. D'elle sourd la sève généreuse qui gonfle la flore des derniers chapiteaux et la fait éclore au soleil. Et c'est à son appel de bonheur, déjà, que les Ressuscitées de Bourges dressent dans la lumière de Dieu les tendresses de leurs corps adolescents. Elle entraîne vers son accomplissement l'espoir de beauté charnelle en qui s'était dissous dans Paris l'art de Notre-Dame.

* * *

Trois siècles de progrès continus faisaient ainsi fuser en Ile-de-France cette philosophie du bonheur. L'Italie des hommes d'affaires était prête à l'accueillir. Mais n'allait-elle pas, dans ce pays où les structures ecclésiastiques présentaient moins de vigueur, désagréger tout à fait la chrétienté et conduire à l'impiété? A cette impiété que déjà l'on attribuait à Frédéric II? Faut-il croire Benvenuto d'Imola lorsqu'il raconte qu'« il y eut bientôt plus de cent mille nobles, hommes de haute condition, qui pensaient comme Farinata degli Uberti et comme Epicure, que le paradis ne doit être cherché qu'en ce monde »? En vérité, Dante traversa dans l'*Enfer* (x, 14/15) le cercle où se trouvaient

> Avec Epicure tous ses disciples
> Qui font mourir l'âme avec le corps...

et Farinata lui révèle (118/119):

> Avec plus de mille je suis couché ici.
> Là-dedans, il y a Frédéric le Second.

Ce fut bien cependant dans son *Paradis* que Dante Alighieri établit la « lumière éternelle » de Siger de Brabant, le plus grand des philosophes parisiens, le chef de file de la nouvelle école. Dans sa théorie des ordres du monde, Dante dispose en deux séquences, parallèles mais distinctes, comme l'avaient fait les maîtres de la faculté des arts, l'Eglise et l'Etat, la Grâce et la Nature, la Théologie et la Philosophie. Elle enseigne

> Comment la nature procède
> De l'intelligence divine et de son art.
> Et si tu étudies attentivement ta physique
> Tu trouveras sans lire beaucoup de pages
> Que votre art suit autant qu'il peut la Nature
> Comme le disciple suit son maître,
> En sorte que votre art est comme le petit-fils de Dieu.
> (*Enfer* XI, 99/105)

On peut tenir aussi la *Divine Comédie* pour une cathédrale, la dernière. Dante la fonde sur ce que les prédicateurs dominicains de Florence lui avaient révélé de la théologie scolastique, après l'avoir eux-mêmes apprise à l'Université de Paris. Comme les grandes cathédrales de France, ce poème ne conduit-il pas par degrés successifs, selon les hiérarchies lumineuses de Denys l'Aréopagite et par l'intercession de saint Bernard, de saint François et de la Vierge, jusqu'à l'amour qui meut les étoiles? Poétique de l'Incarnation, l'art des grandes cathédrales avait célébré de façon merveilleuse le corps du Christ. C'est-à-dire l'Eglise triomphante. C'est-à-dire le monde tout entier. Mais à l'aube du Trecento, le mouvement de croissance qui dégageait insensiblement la pensée d'Europe de l'emprise des prêtres détournait désormais les hommes d'Occident de la surnature. Il les menait vers d'autres routes et vers d'autres conquêtes. La nature, art de Dieu. Un art qui ne peut conduire qu'au bonheur. Dante lui-même, et les premiers qui l'admirèrent, abordaient à de nouveaux rivages.

LA ROSE

L'art du vitrail aboutit aux grandes roses qui rayonnent au milieu du XIIIe siècle sur les nouveaux transepts. Elles portent à la fois signification des cycles du cosmos, du temps se résumant dans l'éternel, et du mystère de Dieu, Dieu lumière, Christ soleil. Dieu apparaît sur la rose méridionale de Notre-Dame de Paris dans le cercle des prophètes, des apôtres et des saints ; il resplendit sur la rose de la Sainte-Chapelle parmi les vieillards musiciens de la vision apocalyptique. Les roses figurent encore la Vierge, c'est-à-dire l'Eglise. Elles démontrent, dans le tourbillon des sphères, l'identité de l'univers concentrique d'Aristote et de l'effusion jaillissante de Robert Grosseteste. La rose enfin est le symbole de l'amour. Elle figure le foyer effervescent de l'amour divin, en qui tout désir se consume. Mais on peut voir en elle aussi l'image des cheminements fervents de l'âme, d'allégorie en allégorie, dans les cercles secrets de dévotion qui se formaient en marge de la discipline catholique. Ou bien encore ce labyrinthe qui d'épreuve en épreuve conduit l'amour profane vers son but.

Lorsque vers 1240 Guillaume de Lorris mit en vers une somme de l'éthique courtoise où « l'art d'amour fut tout enclos », ne l'intitula-t-il pas Roman de la Rose? *Pour lui, la rose est la dame idéale que le chevalier parfait désire passionnément cueillir. Il la cueille au terme de la très longue suite que Jean de Meung donna quelque quarante ans plus tard à ce poème. Mais ici les allégories se sont dépouillées de leur afféterie mondaine et se trouvent ramenées vers le naturel. Dans les cycles implacables qui font se succéder les générations, qui imposent à chaque individu de disparaître à son heure mais laissent survivre d'âge en âge l'espèce humaine, l'amour de l'homme pour la femme, le désir dont la rose est le symbole, sortent des mythes et des jeux de la courtoisie ; ils quittent le lieu des dévergondages ; ils s'accomplissent dans l'union simple, saine et féconde du couple. Ainsi la rose devient-elle image d'une victoire sur la mort. Victoire de la Nature, c'est-à-dire de Dieu — c'est-à-dire aussi des hommes, puisqu'ils coopèrent à la création. Dans le brasier de la rose gothique flambent en fait la joie et la volonté de vivre.*

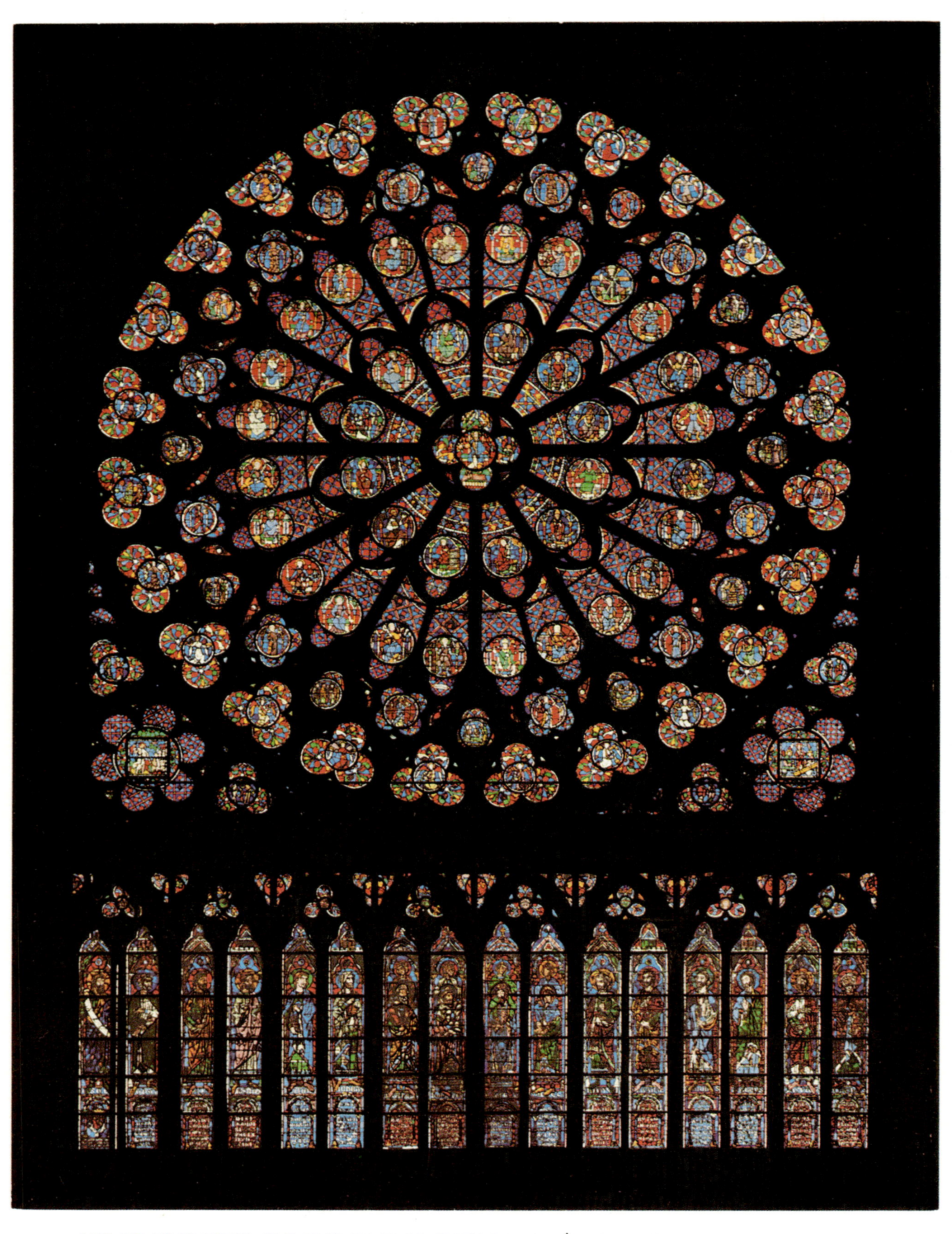

ROSE SUD DU TRANSEPT, AVEC LE TRIOMPHE DU CHRIST ET LES APÔTRES - VERS 1270. NOTRE-DAME DE PARIS.

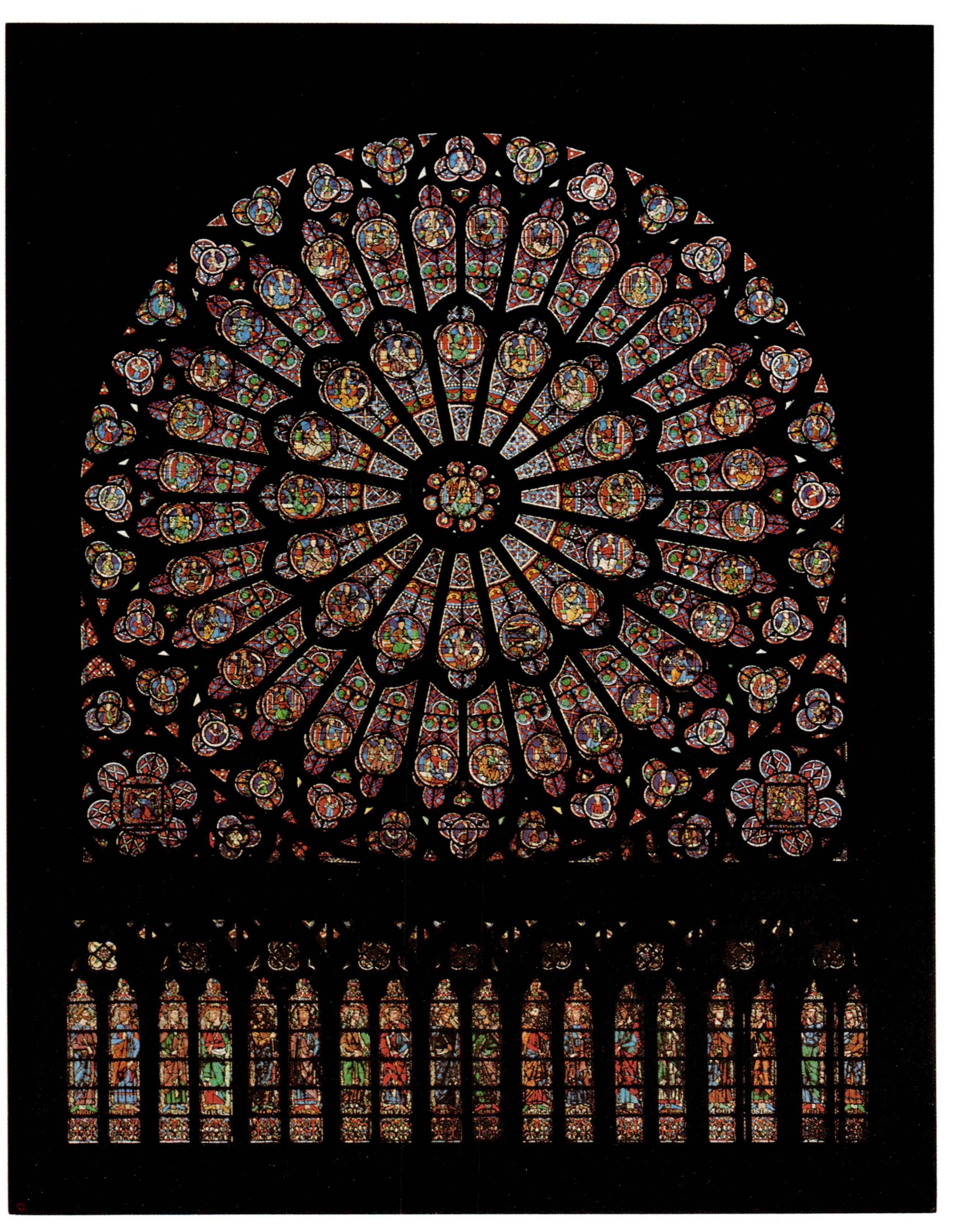

ROSE NORD DU TRANSEPT, ORNÉE DE SUJETS TIRÉS DE L'ANCIEN TESTAMENT - VERS 1270. NOTRE-DAME DE PARIS.

EXTÉRIEUR DE LA ROSE SUD DU TRANSEPT - VERS 1270. NOTRE-DAME DE PARIS.

LA JOIE

Au début du XIIIe siècle, la haute société d'Ile-de-France percevait les subtilités de l'amour courtois et commençait à entrelacer autour d'elle quelques-uns de ses plaisirs. On écrivait pour elle le premier Roman de la Rose. *Le monde des cours demeurait pourtant tout entier établi dans le cadre du lignage et dans celui de la seigneurie. Aussi, pour les chevaliers et pour leurs frères les chanoines, la Vierge ne portait point les traits des jouvencelles du jardin d'amour. Ils la voyaient comme une mère et comme une dame. Certes, la lyrique mariale et la lyrique courtoise entretiennent à cette époque de constants échanges et s'enrichissent mutuellement. Toutefois le progrès de la dévotion à Notre Dame et la promotion simultanée de la femme noble demeurent des phénomènes distincts qui ne se développent pas exactement au même rythme, ni dans les mêmes provinces, ni au même niveau de la conscience ; ils sont portés par des impulsions différentes. Dans l'image de Marie s'établit en fait la mystérieuse union des valeurs de virginité, de fécondité et de royauté qu'ignorait à ses débuts l'érotique courtoise. En elle se concentrent tous les courants de croyances qui, dans les divagations de la foi populaire, avaient longtemps balancé entre la révérence craintive envers les déesses mères du paganisme et la vénération non moins superstitieuse des idoles d'orfèvrerie où l'on enfermait, dans bien des sanctuaires monastiques, les reliques des saints tutélaires. Avant que vers 1250, un maître parisien osât le premier la mettre debout, portant sur un bras l'Enfant dans la posture déhanchée des figures de l'Eglise — à qui selon la théologie catholique s'identifiait Marie — la Vierge gothique siégeait en majesté sur un trône. Dans la même attitude, les jours de cour solennelle, se montrait l'épouse du seigneur, la femme qui avait porté dans son sein l'espoir de la race et l'avenir de la maison.*

Mais lorsque s'acheva le temps des grandes cathédrales, les séductions des apparences charnelles avaient pris suffisamment de force pour que les ressources de la grande sculpture liturgique vinssent enfin servir à célébrer aussi la joie de vivre. Cette joie, les anges au sourire de Reims et tous les anges de bois, leurs frères, la situent dans l'élégance, et sur le corps du jeune Adam rayonnent les beautés terrestres. Ce fut alors qu'apparurent les premières statues de princesses, celle de Violante de Castille à Burgos, celle d'Utah à Naumbourg. Depuis longtemps les gens du peuple reconnaissaient dans la reine de Saba l'épouse de leur seigneur, leur dame. Quand, à Notre-Dame de Paris, la Vierge à l'Enfant se relève de son trône, elle devient vraiment la reine de France. Transfigurée, comme l'étaient tous les gisants du tombeau, celle-ci revêt une forme de perfection fixée de toute éternité dans l'esprit de Dieu. Ce qu'elle montre au monde, c'est encore le type idéal de la souveraineté, mais ce sont déjà les attraits de la grâce féminine.

ANGE CHAMPENOIS - BOIS - DERNIER TIERS DU XIIIe SIÈCLE. PARIS, MUSÉE DU LOUVRE.

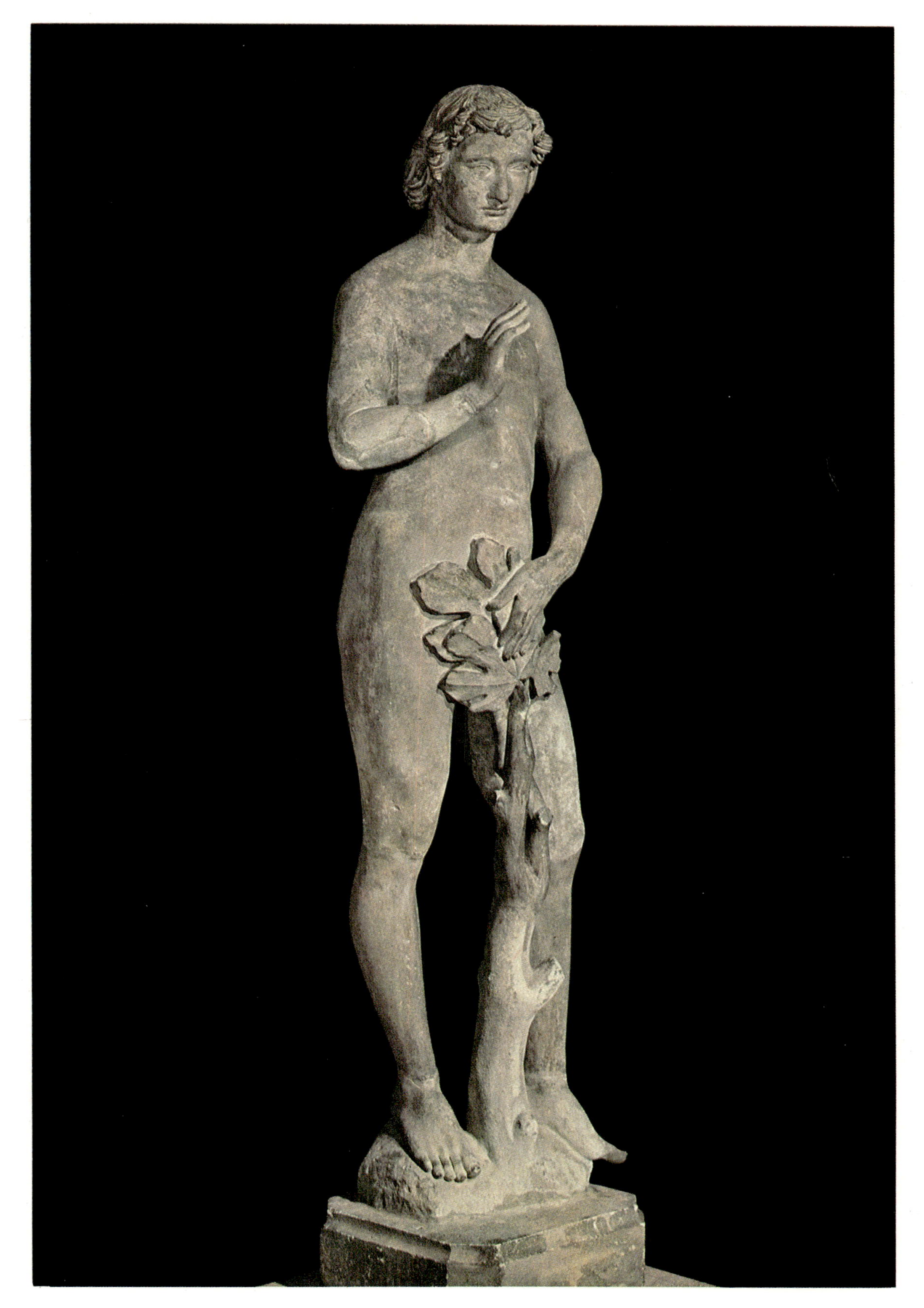

ADAM - SCULPTURE DE PIERRE PROVENANT DE NOTRE-DAME DE PARIS - FIN DU XIIIe SIÈCLE. PARIS, MUSÉE DE CLUNY.

EKKEHARD ET UTAII, STATUES DU CHŒUR OUEST - 1255-1265. CATHÉDRALE DE NAUMBOURG.

HERMANN ET REGELINDIS, STATUES DU CHŒUR OUEST - 1255-1265. CATHÉDRALE DE NAUMBOURG.

LE CHEVALIER

Le chœur de la cathédrale de Bamberg était dédié à saint Georges. Ce héros d'Orient qui pourfend le dragon, c'est-à-dire l'erreur, la mécréance et le mal, et qui délivre la princesse de Trébizonde — c'est-à-dire l'Eglise, c'est-à-dire l'âme humaine — avait en fait, comme un vassal au service de son seigneur, combattu pour Jésus sauveur, Jésus victorieux de Satan et de la mort, Jésus libérateur de l'homme. Il incarnait les vertus du miles Christi, *du soldat du Christ. Vertus de tous les croisés qui, avant saint Louis et avec lui, avaient « mis leurs corps en aventure » dans le saint voyage de Jérusalem, vertus de tous les nobles que le « sacrement » de chevalerie établissait au faîte des valeurs profanes, leur imposant de consacrer leurs forces au service du peuple des pauvres pour le protéger, l'encadrer, le maintenir dans la voie droite. Vertus non point de dévotion mais de prouesses, de « prud'homie », — « le nom de prud'homme », disait saint Louis à Joinville, « est si grande et si bonne chose que seulement le prononcer remplit la bouche », — car le prud'homme est l'homme parfait en qui vaillance et loyauté s'allient à l'amour de Dieu.*

Dans la première moitié du XIIIe siècle, les progrès de l'Occident ont conduit la société féodale à sa plénitude. Les deux ordres qui la dominent, l'ordre des hommes d'Eglise et l'ordre des hommes de guerre, se rassemblent autour du roi en qui le sacerdoce et la chevalerie se conjuguent, autour du guide, de la colonne de lumière qui mène le peuple élu vers la Terre promise. Gouverné par des prélats détenteurs de la plus haute culture, l'art des liturgies royales installe alors dans la cathédrale cette figure équestre. Le Cavalier est parvenu à l'âge d'accomplissement, l'âge où le chef de maison prend en mains la conduite de la seigneurie, l'héritage des ancêtres et le destin du lignage, l'âge de tous les hommes et de toutes les femmes au jour de la résurrection des morts. Viril, il est le porte-étendard d'une société masculine. Comme le cavalier de mai, symbole du renouveau de la nature qui sort victorieuse de l'hiver, il part au galop conquérir le monde. Il ressemble à saint Louis. Il ressemble au Christ qui l'a créé à son image. Dans ses yeux éblouis par les splendeurs surnaturelles brille la volonté de prendre l'univers à pleins bras; il y perce aussi quelque inquiétude. Car il est en marche, comme les pèlerins, comme les guerriers de la croisade, comme les héros du combat scolastique, comme tous les chrétiens, comme le temps jusqu'à la fin du monde, et l'aventure où cet homme s'engage l'entraîne à la découverte de lui-même.

« LE CHEVALIER DE BAMBERG » - VERS 1235. CATHÉDRALE DE BAMBERG.

INDEX DES NOMS CITÉS

TABLE DES ILLUSTRATIONS